智慧教育丛书

单留玉 等著

读懂学生的课程 Ⅲ

中原出版传媒集团
中原传媒股份公司

大象出版社
·郑州·

图书在版编目(CIP)数据

读懂学生的课程. Ⅲ／单留玉等著.— 郑州：大象出版社，2020.5
(智慧教育丛书)
ISBN 978-7-5711-0413-9

Ⅰ.①读… Ⅱ.①单… Ⅲ.①课程-教学研究-小学 Ⅳ.①G622.3

中国版本图书馆 CIP 数据核字(2019)第 251662 号

读懂学生的课程 Ⅲ
DUDONG XUESHENG DE KECHENG Ⅲ

单留玉 等著

出 版 人	王刘纯
责任编辑	梁金蓝
责任校对	毛 路　张英方
装帧设计	王 敏

出版发行 大象出版社（郑州市郑东新区祥盛街 27 号　邮政编码 450016）
　　　　　发行科 0371-63863551　总编室 0371-65597936
网　　址 www.daxiang.cn
印　　刷 河南文华印务有限公司
经　　销 各地新华书店经销
开　　本 720 mm×1020 mm　1/16
印　　张 14.25
字　　数 170 千字
版　　次 2020 年 5 月第 1 版　2020 年 5 月第 1 次印刷
定　　价 35.00 元

若发现印、装质量问题，影响阅读，请与承印厂联系调换。
印厂地址 新乡市获嘉县亢村镇工业园
邮政编码 453800　　　　　电话 0373-5969992　5961789

作 者

孙新玲　杨　桦　于　丽　邢丽娟

梁宁莹　孟丽丽　江　南　王盈盈

裴军伟　单留玉　肖陶然　宋　君

魏　霞　王　宁　陈　冉　张优莉

刘晓晴

播下种子　生根发芽

《基础教育课程改革纲要（试行）》在课程改革的具体目标中提出："改变课程结构过于强调学科本位、科目过多和缺乏整合的现状，整体设置九年一贯的课程门类和课时比例，并设置综合课程，以适应不同地区和学生发展的需求，体现课程结构的均衡性、综合性和选择性。"这是国家总体的要求，对学校教育具有方向性的指引。对一线老师来说，分科过细的教学会出现相似知识的重复，既浪费学生的时间，同时也会让学生在不同老师的课堂上进行各类要求的转换。对学生而言，他们是一个个整体的人，系统、有层次的学习，更便于他们掌握知识、形成能力。从这三方面考虑，河南省郑州市金水区实验小学进行了大胆尝试,对各学科的知识进行整合，设置每天下午的智慧课程。二年级的全体老师接过了一年级的接力棒，学习智慧课程的精髓，融入新的智慧，开启我们的智慧课程之旅。

先思后行

开学之初，我们二年级组的十位老师拿出自己设计的思路，介绍可以参加整合的内容，贡献每人的智慧，提出关于课程整合的想法。大家集思广益，在继承一年级课程的基础上，最终确定本学期的课程整合主题活动分为四大主题：开学课程、季节课程、传统课程和家长课程。

第一周是我们的开学课程。二年级的开学课程不能像一年级那样，重点在于巩固和提高。巩固一年级学习的好习惯，提高学生自我管理能力、动手能力和小主人翁意识。于是，第一周的智慧课程新鲜出炉了：开学课程之习惯，开学课程之巧手包书皮，开学课程之我是班级小主人，开学课程之暑假生活文化……确定好了第一周的内容，我们十人长长地出了一口气。万事开头难，我们艰难地迈出了第一步，虽然感觉有些累，不过还有很大的喜悦伴随着我们，这为我们二年级开学课程的实施开了一个好头。

再思再行

智慧课程在实施的过程中，有两次大的调整：

第一次调整：根据现在的学生游戏种类少的情况，在传统课程中增加了传统游戏，放在每周二下午，融合音乐课的儿歌、美术课的简笔画或者语文课的写话，让体育课的传统游戏以一种新的面貌呈现在孩子们面前，丰富多彩，充满趣味。学生在学习的过程中，不仅身体得到了锻炼，还增强了平衡能力、协调能力等。

第二次调整：在主题活动的过程中我们发现有些内容是需要花费比较

多的课时才能学得更深、更广,我们把这类主题活动设为周活动。比如传统游戏——跳皮筋,我们教给学生跳的方法,给他们时间进行大量的练习,然后进行比赛、颁奖。这样下来,全班90%的学生都会跳皮筋了,学生动作更协调了,课下游戏更丰富了,学生找到了成就感和乐趣,主题活动也就落到了实处。我们还开展了"童话周",让学生通过读童话、听童话、讲童话、演童话,对童话有了一个更深入的了解,学生特别喜欢。

小小的收获

智慧课程"开学课程之巧手包书皮":老师和学生一起动手包书皮并进行装饰,既环保实用,又各具特色。整个活动的过程中,老师好像回到了小时候,找到了童年的感觉;孩子们一边做,一边交流,兴致高昂。

季节不仅和我们的生活紧密联系,而且和学生的学习不可分割。我们把各个学科当中季节特征比较明显的内容提炼出来,设计出了秋季放歌、秋日美景、秋雨、秋叶、秋日游戏、冬日美味、冬日雪景等内容。在季节课程中,学生印象深刻的要数拓印秋叶和制作冬日美味了。在《秋叶》这个课程中,学生找来了各种各样的叶子,按照自己的想法进行拼搭,用老师教给的方法拓印,最后配上关于秋天的诗文或者自己制作的方法、心得,一幅幅精美的作品就出现了。在课堂上一边做一边吃是学生最喜欢的一件事了。在这个冬天,二年级举行了以"冬之美 冬至味"为主题的冬至包饺子活动。整个活动用一个词来形容就是:快乐!一张张洋溢着笑脸的照片,让我们看到了家校的亲密融合,看到了这个活动带给学生的难以忘记的校园生活!

传统课程是本学期课程的重头戏。杨桦老师完成了一节关于河南美食的"豫见之美"。在这节课上，杨老师既让学生认识了山药，品尝到了美味的果味山药，还让学生通过自己动手，完成了河南烩面、鲤鱼焙面、洛阳水席、开封灌汤包这些河南经典美食的制作。一整节课下来，学生看、摸、尝、做，各种感官都被调动了起来，听、说、读、写能力也得到了训练，这是一节扎扎实实的好课。

　　家长课程，学生学到了很多学校学不到的知识，既开阔了眼界，同时也从另一个角度认识了爸爸妈妈。本学期的家长课程有：会动的机器人、魔术、食物在身体中的旅行、路、手工插花、扎染、科学实验、爱护耳朵……家长课程真正体现了知识无界限。

　　单留玉校长和宋君副校长经常会说："对于课程整合，我们学校做了很多学校想做但不敢做的事，只要我们行动起来，就是我们最大的成功！"是呀，智慧课程的研发和实施是辛苦的，需要老师们费尽心思挖掘主题，提炼学科精华进行融合，还要能够切合孩子们的年龄、心理特点，把目标落到实处，最后形成一节节既让他们喜欢，同时又能让他们学到知识，培养他们各种情怀的好课。但是，我想说的是：我们有信心把这件事情做好！我们既然播下了智慧课程这粒能够让学生受益的种子，就要努力让它扎下深根，发出嫩芽，直至将来枝繁叶茂、繁花似锦！

孙新玲

目 录

金水区实验小学二年级智慧课程实施方案　　1

主题一：开学课程　　1

版块一：开学课程之习惯　　2
　　《习惯》课程设计　　2
版块二：开学课程之巧手包书皮　　8
　　《巧手包书皮》课程设计　　8
　　课程实施掠影　　12
版块三：开学课程之我是班级小主人　　13
　　《我是班级小主人》课程设计　　13
版块四：开学课程之暑假生活文化　　18
　　《暑假生活文化》课程设计　　18
　　课程实施掠影　　21
　　课程实施感悟　　21

主题二：季节课程　　23

版块一：季节课程之秋季放歌　　24

《秋季放歌》课程设计　　24

版块二：季节课程之秋日美景　　29

《秋日美景》课程设计　　29

版块三：季节课程之聊聊我的假期　　32

《聊聊我的假期》课程设计　　32

版块四：季节课程之关爱生命　安全出行　　34

《关爱生命　安全出行》课程设计　　34

版块五：季节课程之秋叶　　40

《秋叶》课程设计　　40

课程实施掠影　　43

课程实施感悟　　44

版块六：季节课程之校园安全　　45

《校园安全》课程设计　　45

版块七：季节课程之捏泥巴　　50

《捏泥巴》课程设计　　50

课程实施掠影　　52

课程实施感悟　　52

版块八：季节课程之感恩的心，感谢有你　　54

《感恩的心，感谢有你》课程设计　　54

版块九：季节课程之学会管理自己　　57

　　《学会管理自己》课程设计　　57

版块十：季节课程之自我提升　　62

　　《自我提升》课程设计　　62

版块十一：季节课程之小动物过冬　　66

　　《小动物过冬》课程设计　　66

版块十二：季节课程之冬至　　69

　　《冬至》课程设计　　69

　　课程实施掠影　　72

版块十三：季节课程之百变团花　　73

　　《百变团花》课程设计　　73

版块十四：季节课程之迎新年　　78

　　《迎新年》课程设计　　78

主题三：传统课程　　83

版块一：传统课程之象形字、会意字　　84

　　《象形字、会意字》课程设计　　84

　　课程实施掠影　　86

版块二：传统课程之跳房子　　87

　　《跳房子》课程设计　　87

　　课程实施掠影　　89

版块三：传统课程之老师，我们爱您　　90

《老师，我们爱您》课程设计　　90

版块四：传统课程之跳皮筋　　94
　　《跳皮筋》课程设计　　94
　　课程实施掠影　　97

版块五：传统课程之小扇子　　98
　　《小扇子》课程设计　　98
　　课程实施掠影　　102

版块六：传统课程之国庆节　　103
　　《国庆节》课程设计　　103
　　课程实施掠影　　106

版块七：传统课程之中秋节　　107
　　《中秋节》课程设计　　107
　　课程实施掠影　　111

版块八：传统课程之看童话　　112
　　《看童话》课程设计　　112

版块九：传统课程之听童话《彼得与狼》　　116
　　《听童话〈彼得与狼〉》课程设计　　116

版块十：传统课程之演童话　　119
　　《演童话》课程设计　　119
　　课程实施掠影　　125

版块十一：传统课程之豫见之美　　126
　　《豫见之美》课程设计　　126
　　课程实施掠影　　129

　　　　课程实施感悟　　　129

版块十二：传统课程之重阳节　　　131
　　　　《重阳节》课程设计　　　131

版块十三：传统课程之古诗新唱　　　137
　　　　《古诗新唱》课程设计　　　137

版块十四：传统课程之华容道　　　141
　　　　《华容道》课程设计　　　141
　　　　课程实施掠影　　　144

版块十五：传统课程之轴对称　　　145
　　　　《轴对称》课程设计　　　145
　　　　课程实施掠影　　　148

版块十六：传统课程之沙包游戏　　　149
　　　　《沙包游戏》课程设计　　　149

版块十七：传统课程之陀螺探秘　　　152
　　　　《陀螺探秘》课程设计　　　152

版块十八：传统课程之跳绳　　　156
　　　　《跳绳》课程设计　　　156
　　　　课程实施感悟　　　160

版块十九：传统课程之走进成语故事　　　162
　　　　《走进成语故事》课程设计　　　162

版块二十：传统课程之健康饮食，快乐成长　　　167
　　　　《健康饮食，快乐成长》课程设计　　　167

版块二十一：传统课程之欣赏《魔法师的弟子》　　　170

《欣赏〈魔法师的弟子〉》课程设计　　170

主题四：家长课程　　175

　　我们班的神秘魔术师　　176

　　让孩子动起来　　177

附　录　金水区实验小学荣誉护照　　179

　　　　　金水区实验小学阅读存折　　186

参考文献　　191

智慧课程，绽放生命的精彩（代后记）　　194

金水区实验小学二年级
智慧课程实施方案

一、课程整合的意义

2001年，我国启动了新中国成立以来最大规模的、具有里程碑意义的第八次基础教育课程改革。《基础教育课程改革纲要（试行）》中指出："……改变课程结构过于强调学科本位、科目过多和缺乏整合的现状，整体设置九年一贯的课程门类和课时比例，并设置综合课程，以适应不同地区和学生发展的需求，体现课程结构的均衡性、综合性和选择性"，"小学阶段以综合课程为主"。这次课程改革针对现行课程结构的问题作了重大调整，强调课程整合，其目的在于改变过于注重学科逻辑的做法，关注学生的学习，注重学生的经验或者体验，实现课程促进学生发展的目的。

2014年3月，《关于全面深化课程改革落实立德树人根本任务的意见》中指出：课程目标有机衔接不够，部分学科内容交叉重复，课程教材的系统性、适宜性不强等问题。这份意见再次提出：全面深化课程改革，整体构建符合教育规律、体现时代特征、具有中国特色的人才培养体系，建立健全综合协调、充满活力的育人体制机制，落实立德树人根本任务。

2019年6月，《关于深化教育教学改革全面提高义务教育质量的意见》中提出：探索基于学科的课程综合化教学，开展研究型、项目化、合作式学习。

为了更好地提高课程实施的有效性，在国家、地方、学校三级课程管理中，需要把课程规划、课程建设的权力赋予学校。把国家课程、地方课程、校本课程等统整起来，开展课程整合的研究与实验，以更好地促进学生发展。

课程整合最为根本的是为了促进学生的学习，通过创设相应的学习环境，使真实性学习得以发生，从而使学生不仅获得知识和技能，更能获得学习的方式，有真实的经历，并形成完善的人格。

金水区实验小学进行的智慧课程有更高的追求：以活动或者真实问题解决为主的课程整合围绕学生成长的重大问题，打破学科界限，根据学生感兴趣的问题或者活动展开课程设计。在问题解决和活动展开中，各个学科的知识得到综合运用。

二、学校实际情况分析

我校始终围绕"营造书香校园　共享智慧人生"的办学理念，将"一笔一画写好字，一字一句读好书，一点一滴做真人"作为校训，以课堂教学为教育教学的主阵地，把读书、写作、研究作为促进教师专业化成长的措施，努力创设一个适合教师专业发展和学生健康成长的人文环境，着力构建积极向上、内涵丰富、特色鲜明的学校文化，促进学校内涵发展，不断提升办学品位，使师生在成长的过程中共享智慧人生。

师资力量雄厚。近年来，我校先后有河南省教师教育专家1人，河南省综合实践专家组成员2人，河南省教育厅学术技术带头人3人，中原名师1人，河南省名师2人，河南省骨干教师3人，河南最具成长力教师1人，郑州市名师1人，郑州市骨干教师3人。

社区资源多样。我校面向全区招生，所以社区资源相对比较宽泛，更有利于学生开展教育教学活动，丰富的课程资源更有利于学校的发展，有利于学生的主动发展。

家长资源丰富。我校面向全区招生，吸引了一大批优秀学生就读，家长素质相对较高，家长对学生的期望值很高，这些家长从事各个行业的经验也比较丰富，他们乐于为学校的发展出谋划策。

课程是学校教育的核心载体，是学生获得发展的宝贵资源。以学生的发展为价值取向，从学生的成长需要出发，通过课程整合，以强有力的课程支撑来为每一个学生提供发展的机会。

我校一直致力于探索课程整合，我们将更加鲜明地、坚定地、正确地在国家教改的框架之下"做自己的事"，即在坚持国家课程改革的基本精神和总体方向的前提下，深入研究自己的学生，创造性地开展智慧课程的探索和实践。

三、课程目标

1. 在智慧课程的实施中，注重引导学生继承中华传统美德，诚信友善，孝亲敬长，有感恩之心，树立社会责任感，从而培养新时期的阳光少年。

2. 通过智慧课程的实施，让学生掌握基本社会生存技能，学会生存，为适应未来社会打下基础；同时，课程的实施也不断开阔学生的视野，使其学会求知，为其终身学习打下基础，同时促其发展个性特长。

3. 通过课程的实施，丰富学生的童年生活。

4. 通过智慧课程的实施，培养学生的实证意识和严谨的求知态度，使之能运用科学的思维方式认识事物、解决问题。在课程实施中不断实践探究，生成智慧，培养学生的创新精神和创新能力。

5. 通过智慧课程的实施，激发学生的学习兴趣，让学习兴趣伴随学生的终身发展。

6. 通过智慧课程的实施，不断培养"读好书、写好字、做真人"的阳光少年。

四、课程整合的基本理念

在二年级的智慧课程整合中，我们追求如下的理念：

1. 整合是一种思想

当我们真正实施时，就会发现课程整合带给学生、教师的思考，感受到整合更有利于学生的学习。

2. 课程整合更需要关注每一个学生

人是一切课程的核心。课程整合倡导学生、教师站在课程的正中央。课程整合使教师的教学从以教材为中心走向以学生为中心，避免"割裂的评价"，全面捕捉学生的潜能。

3. 课程视野下的课堂

我们完全可以基于自己对教学内容和学生的理解，将一切有助于学生学习成长的教材内外的积极而有意义的元素合理地整合到自己的课堂中，在课程整合的推进中走出一条自己的路来。

五、课程整合的基本原则

根据教育部《义务教育课程设置实验方案》的要求，我校课程设置遵循如下几个原则：

1. 均衡设置课程原则。在智慧课程整合时，我校坚持德智体美劳等全面发展，兼顾不同年龄段儿童成长需要和认知规律。

2. 加强课程的综合性原则。智慧课程更注重培养学生的实践能力与创新思维，注重在学科渗透、整合中提升学生的综合素养。

3. 加强课程的选择性原则。智慧课程整合后，鼓励教师创造性地实施整合课程，把握好课程课时的弹性比例，发挥创造性，增强适应性。

六、课程整合的误区

误区一：课程整合不是包班

课程整合不是要求教师包班，不是要求教师应该是"好的数学教师＋好的语文教师＋好的英语教师＋好的……"，这是对课程整合的一大误解。

误区二：课程整合不是各学科的简单叠加

课程整合不是"语文＋数学＋英语＋音乐＋体育＋美术"的简单叠加，课程整合后的教师，也不是各学科教师的简单叠加。这是因为课程整合带来的是课程"质"的变化，对教师也提出了新的要求。

误区三：课程整合不是找不到目标

放在课程视野下，一堂找不到课时目标的课，是一堂低结构的课，是一堂低效的课。当我们用课程的大胸怀超越了学科课时目标的小计较时，我们会发现要达成的目标是一种深度的融合。

七、智慧课程整合的形式

智慧课程整合，意在整合各学科知识，减少课程内容的重叠与分化，彰显知识、技能与生活世界的联系及其价值。

课程整合的三种模式

第一种为学科本位模式。该模式发源于赫尔巴特的教学思想。在他看来，要使一门学科的教学经常地联系其他学科的教学，这样，教地理时就非常容易显示出地理与历史之间的联系，教历史时联系文学就会使历史教学更加丰富起来。用熟悉的东西去认知新的东西，如此，课程整合的目的不仅在于使学习更有意义，而且使学习更富有兴趣。这一模式强烈影响了教育实践。1932年，美国进步主义教育协会组成的中等学校课程检讨委员会针对社会发展的综合化趋势提出了进行大规模的知识协同教学的必要性，进而强调学科间的整合，一些国家先后出现的相关课程、融合课程、广域课程等就是这种课程融合模式的发展。

第二种为儿童本位模式。19世纪末20世纪初，受杜威教育思想的影响，整个世界掀起了儿童经验主义的教育思潮。针对传统学科课程将知识割裂开来的弊端，杜威主张学习即生活、教育即儿童经验的连续改造，要求把儿童的经验和兴趣作为课程融合的核心。这与赫尔巴特的学科模式完全不同。在儿童本位模式下，不是学科逻辑而是儿童的兴趣决定了课程的内容和结构，不是学科课程而是活动课程构成学校课程的主体，尽管活动课程事先需要规划、设计，但并不像学科课程那样有着严密的计划。

第三种为社会本位的课程整合模式。该模式反对学科分立所造成的碎片化的学习，主张将学科内容整合起来，成为学习的核心，这样可以使学生了解内容间彼此的关系，学习会更有意义。同时，该模式还强调学校教育必须通过课程整合来维护社会的核心价值观。

课程整合的有效方式

基于以上思考，我校在课程整合中，采用如下的方式进行有效整合：

1. 学科内整合

课程内容分属于不同科目领域，可以根据学科特点、学生思维发展和课程内容有效进行课程整合。也就是各学科保持独立地位，课程内容进行内部有效整合。

2. 跨学科课程整合

我们可以找到不同课程内容相近或相似的课程结合点，组织中心如主题、问题、概念、基本学习内容、技能或课程标准的要求来联结不同学科，目的在于使学生能够从多重视角整合地处理与组织中心有关的信息和观点，以便更全面、客观地理解知识和解决问题。

3. 以项目或主题的方式进行有效整合

跨学科课程整合即学科不再是组织中心，而是被融入单元或主题之中，教师非常重视课程与真实情境和世界的联系，并鼓励学生作为研究者参与学习活动。

其实，智慧课程整合不仅是一种结果，更是一个过程。在整合中，我们还要注意学科内容与学生生活、当代社会生活的整合，文本教材与网络资源、生活资源的整合，学科的传统内容与学科的新发现、新观点、新问题的整合等，还有表现方法上的整合，即深度探究学习、合作学习、体验学习等多种综合性的教学方式，这些都值得我们进行研究和思考。

课程整合的三种境界和追求

课程整合首先是学科内容之间的整合，其次是学习策略和教学策略的整合，最后是育人目标的整合。

八、整合后的课程设置

我校围绕办学理念，建立师生共同发展的课程体系，使师生发展和课程建设融为一体。我校先后将国家课程、地方课程和校本课程进行有效整合。

我校二年级在一年级智慧课程的基础上继续开设阅读与生活、数学与科技、英语与交际、体育与健康和艺术与审美五个主题（综合）课程，安排如下：

阅读与生活：语文（国家课程）＋道德与法治（国家课程）＋书法（地方课程）＋心理（地方课程）＋阅读

数学与科技：数学（国家课程）＋科学（国家课程）＋实践活动

英语与交际：英语（地方课程）

体育与健康：体育（国家课程）＋安全＋健康教育

艺术与审美：音乐、美术（国家课程）＋木版画＋小乐器

九、整合课程的管理与实施

为了促进二年级整合课程的稳步实施，我校采用双轮驱动的方式进行课程的开发、实施和评价等工作，并且课程委员会进行学术支持，学校教导处进行行政支持，促进课程深入实施。

1. 成立课程开发、实施、领导小组

组长：单留玉

成员：宋君、肖陶然、魏霞、孙新玲、杨桦、于丽、邢丽娟、梁宁莹、孟丽丽、江南、王盈盈、裴军伟

2. 课程委员会成员名单

宋君、王宁、魏霞、江南、杨慧君、孙新玲、闫彦

十、整合课程评价建议

1. 有利于学生个性的发展，有助于学生创造精神和创造性人格的形成和发展。

2. 注重评价的过程，使之成为教师与学生共同成长的过程，成为促进我校特色课程的生成、发展与提高的过程。

3. 根据我校课程的特点，结合我校的校情、教师情况和学生情况，对学生、教师的评价内容要多元化，评价方式要多样化，参与主体要互动化。

4. 在评价方法上采用多元化的方法，如学生自评、学生互评、教师评价与家长评价等。建立每个学生的成长记录。成长记录应收集能够反映学生学习过程和结果的资料，包括学生的自我评价、最佳作品（成绩记录及

品种作品)、社会实践和社会公益活动记录、体育与文艺活动记录，教师、同学的观察与评价，来自家长的信息，考试和测验的信息等。学生是成长记录的主要记录者，成长记录要始终体现诚信的原则，要有教师、同学和家长开放性的参与，使记录的情况典型、客观、真实。

5. 评价采用等级制，具体为优秀、良好和合格三个等级。

十一、课程实施的保障措施

1. 建立健全民主开放的组织机构

我校树立民主开放的学校管理意识，校长全面负责学校组织机构的建设。建立健全学校课程委员会，制定课程审议制度，使课程的开发、实施过程成为民主决策的过程。

学校其他课程管理机构（如教导处）实行人本管理，充分发挥学校校务委员会团结全校教职工决策的作用，确保优质、高效地进行课程开发和实施。

2. 建立良好的课程决策结构和沟通网络

学生在家长和社区的支持下确立自己希望学习的内容，并在教师的指导下，自评选择学习的课程。

学校提供教师与课程专家沟通的机会，为参与课程开发的各团体或小组之间交流提供时间和空间保障。

3. 持续的校本培训

学校积极鼓励所有教师都参与力所能及的课程开发研究，并保证他们有较充足的时间获得各种学习机会。学校还根据教师专业发展的不同阶段，采取不同的持续不断的培训策略，使其在行动研究中养成课程开发的意识、反思开发的能力。

4．充分开发利用校内外课程资源，建立支持系统

课程在开发中必须充分利用校内外课程资源，不断对学校的师资、设施、经费、器材、场所等课程资源进行积极的评估、利用，使人尽其才、物尽其用，并积极努力，不断改善办学条件。

主动积极争取大学课程专家的指导，积极争取与社区、政府的对话，获得广泛的支持。充分利用网络等途径获取相关课程资源，从而建立校内、校外两个支持系统。

5．制度保障，建立自律的内部评价与改进机制

健全学校课程审议制度，如课程管理岗位职责、课程能力培训制度、课程教学管理条例、课程评价制度和课程开发奖励制度等系列规章制度，通过制度管理，保障校本课程开发、实施的顺利推进。系统研究，认真实施课程的各项评价，逐步建立和完善学校自律的课程内部评价机制，提高课程开发、实施的质量。

学校课程整合正是以学生的发展为价值取向，从学生的成长需要出发，以提供强有力的课程支撑来为每一个学生提供发展的机会。课程整合会增强学习的有效性，让课堂、学校焕发生命的活力。通过课程整合，使师生发展和课程建设融为一体，真正建立师生共同发展的课程体系。在课程整合中促进学生的成长、教师的专业发展和学校的发展。

我校努力通过课程整合，让课程引领学生学会学习，进一步提升学生的学习能力；让课程整合成为体验生命成长的丰富经历，为学生提供更广阔的学习空间和选择机会，满足学生不同潜能开发的需要；让课程整合能够架设通达智慧人生的桥梁，实现每一个孩子的可持续发展。

金水区实验小学智慧课程实施纲要（二年级上学期）

课程名称	二年级智慧课程		
适用年级	二年级	总课时	94
课程简介	二年级智慧课程是在一年级的基础上继续推进实施的一门课程。它既融合了二年级各个学科共性的内容，又结合了学生的年龄、季节、时代特征设置了相应的单元主题，核心在于促进学生个性和素质充分发展，让学生尽情享受生命的精彩。		
背景分析（500字以内）	目的和意义： 根据学校办学主张、办学理念和办学特色等实际情况，对存在于本年级的国家课程、地方课程、校本课程进行规划、调适，形成二年级智慧课程，目的在于促进学生的成长和教师的发展。 学情分析： 二年级学生在一年级的时候已经经历过智慧课程，随着年龄的增长和知识的积累，他们的要求会比一年级时更高，这就要求教师在主题的设置和课堂的操作方面要对自己有一个更高的要求，要更能激发学生学习的欲望，更能激发出学生内在的潜力。 资源分析： 原来课程的模式是分散的、独立的、费时的、不够深入的，我们设置的智慧课程把各个学科共性的内容进行融合，减少重复性授课，节约课时；对于需要学习时间长一些的内容、难一些的内容，则增加课时量；我们还会应时、应景加入一些内容，丰富学生的课程学习。这种学习是比较科学、人性化的，是符合学生学习规律的。		
课程目标	一、学生通过一节节的智慧课程学到更多原有课程中学不到的知识，开阔了眼界。 二、不同的主题活动创造出不同的课堂氛围，学生的团结协作能力、动手能力、听说读写等综合能力能够得到大步提升。 三、在智慧课程的体验中，学生情感得到熏陶，内化为自身素质的提升，对学习有更主动的兴趣，对大自然和别人的馈赠更怀感激之情。		

续表

	周次	主题名称	课时数
学习主题/活动安排（请列出教学进度，包括日期、周次、内容、实施要求）	第二周 (5课时)	开学课程之习惯	1
		开学课程之巧手包书皮	1
		开学课程之我是班级小主人	1
		开学课程之暑假生活文化	1
		家长课程	1
	第三周 (5课时)	传统课程之象形字、会意字	1
		传统课程之跳房子	1
		季节课程之秋季放歌	1
		传统课程之老师，我们爱您(1)	1
		家长课程	1
	第四周 (5课时)	传统课程之老师，我们爱您(2)	1
		季节课程之秋日美景	1
		传统课程之跳皮筋(1)	1
		传统课程之小扇子	1
		家长课程	1
	第五周 (5课时)	传统课程之跳皮筋(2)	1
		传统课程之跳皮筋(3)	1
		传统课程之跳皮筋(4)	1
		传统课程之国庆节(1)	1
		家长课程	1
	第六周 (5课时)	传统课程之国庆节(2)	1
		传统课程之中秋节(1)	1
		传统课程之中秋节(2)	1
		季节课程之动起来	1
		家长课程	1
	第七周	国庆放假	0

续表

	周次	主题名称	课时数
学习主题/活动安排（请列出教学进度，包括日期、周次、内容、实施要求）	第八周 (5课时)	季节课程之聊聊我的假期	1
		季节课程之秋雨	1
		季节课程之捏泥巴（1）	1
		季节课程之捏泥巴（2）	1
		家长课程	1
	第九周 (5课时)	传统课程之童话（读）	1
		传统课程之看童话	1
		传统课程之听童话《彼得与狼》	1
		传统课程之演童话	1
		家长课程	1
	第十周 (5课时)	季节课程之关爱生命 安全出行（1）	1
		季节课程之关爱生命 安全出行（2）	1
		传统课程之重阳节（1）	1
		传统课程之重阳节（2）	1
		家长课程	1
	第十一周 (5课时)	季节课程之秋叶（1）	1
		季节课程之秋叶（2）	1
		传统课程之古诗新唱（1）	1
		传统课程之古诗新唱（2）	1
		家长课程	1
	第十二周 (5课时)	传统课程之华容道（1）	1
		传统课程之华容道（2）	1
		季节课程之校园安全（1）	1
		季节课程之校园安全（2）	1
		家长课程	1
	第十三周 (5课时)	传统课程之人物故事（1）	1
		传统课程之人物故事（2）	1
		传统课程之轴对称（1）	1
		传统课程之轴对称（2）	1
		家长课程	1

续表

	周次	主题名称	课时数
学习主题/活动安排（请列出教学进度，包括日期、周次、内容、实施要求）	第十四周 (5课时)	传统课程之扔沙包 (1)	1
		传统课程之扔沙包 (2)	1
		季节课程之感恩的心，感谢有你 (1)	1
		季节课程之感恩的心，感谢有你 (2)	1
		家长课程	1
	第十五周 (5课时)	传统课程之陀螺探秘 (1)	1
		传统课程之陀螺探秘 (2)	1
		季节课程之学会管理自己 (1)	1
		季节课程之学会管理自己 (2)	1
		家长课程	1
	第十六周 (5课时)	传统课程之跳绳 (1)	1
		传统课程之跳绳 (2)	1
		季节课程之自我提升 (1)	1
		季节课程之自我提升 (2)	1
		家长课程	1
	第十七周 (5课时)	季节课程之小动物过冬 (1)	1
		季节课程之小动物过冬 (2)	1
		传统课程之豫见之美	1
		传统课程之健康饮食，快乐成长	1
		家长课程	1
	第十八周 (5课时)	传统课程之乐器 (1)	1
		传统课程之乐器 (2)	1
		传统课程之冬至 (1)	1
		传统课程之冬至 (2)	1
		家长课程	1
	第十九周 (5课时)	季节课程之圣诞节 (1)	1
		季节课程之圣诞节 (2)	1
		季节课程之百变团花 (1)	1
		季节课程之百变团花 (2)	1
		家长课程	1

续表

学习主题/活动安排（请列出教学进度，包括日期、周次、内容、实施要求）	周次	主题名称	课时数
	第二十周 （4课时）	季节课程之迎新年（1）	1
		季节课程之迎新年（2）	1
		传统课程之走进成语故事	1
		家长课程	1

评价活动/成绩评定	根据课堂表现及作业完成情况，在荣誉护照上呈现。
备　注	

主题一：开学课程

暑假过后，学生的年龄和见识都有所增长，学生又急于和同伴交流、分享自己在假期中的所见所闻，但是学习习惯有所遗忘，学习要求还需明确。因此，针对以上问题，我们开设了"开学课程"这个单元主题，目的在于让学生能够静下心来，为学期初开个好头。"开学课程"共有4个主题，分别为：习惯、巧手包书皮、我是班级小主人、暑假生活文化。

版块一：开学课程之习惯

《习惯》课程设计

课程内容：

习惯养成。

学情分析：

经过一个暑假，孩子们从一年级的小学生变成了二年级的小学生，虽然他们放假前对学校的生活已经适应，但一个假期的放松必然会有很多孩子需要重新调整适应。调整作息时间、适应新的教室、培养新的习惯、了解新的要求……开学课程就是要帮助学生尽快进行自我调整，进入最佳学习状态。

课程设计理念：

通过让学生回顾校训、小学生一日常规、课堂要求等，使学生有据可依地规范自己的言行，尽快进入最佳学习状态。

课程目标：

帮助学生尽快从舒适的假期生活投入到紧张忙碌的校园生活中来，重点对学生进行日常行为规范教育、行为习惯养成教育和安全教育。

课程评价实施：

借助学校常规指南等表格，各科教师对学生进行持之以恒的要求、训练、检查、评价。

教学过程：

一、谈话导入

亲爱的小朋友，大家好，很高兴在二年级的教室里看见你们！坐在二年级的教室里就意味着你已经是一名二年级的小学生啦！你不再是学校里总被照顾的小朋友了；你将被一年级的新生称为"哥哥""姐姐"；你将肩负起为新入学的弟弟、妹妹做好榜样的责任。你长大啦！快乐的暑假生活已经结束，崭新的学期在向我们招手，我们怎样尽快调整自己的状态，投入到新的学习之中呢？

二、回忆巩固，细化提升

（一）小学生一日常规——起床

1．按时起床，不睡懒觉。

2．起床后整理床铺，刷牙、洗脸，佩戴红领巾。

3．按课表准备学习用品，整理书包。

（与学习无关的东西不要带到学校，例如零食、玩具等）

学习：《上学歌》

（二）小学生一日常规——到校

1．上学路上不玩耍，不逗留，自觉遵守交通规则，靠右边走。

2．按时到校，早到校者要自觉在校门口排队。

3．不随便缺课，因病（事）不能到校者，要写请假条。

4．进校和放学时不奔跑。

5．到校、离校时间：7：40 开校门，8：00 预备，16：10 放学。

学习：《列队歌》《午餐歌》

(三) 小学生一日常规——课间操、队列

1．认真做课间操和眼保健操，因病（事）不能做操要事先请假。

2．列队要做到快、齐、静。

3．做操时要听清口令，动作准确、整齐。

4．领队口令干脆、清楚、响亮、标准，动作准确无误。

5．教室外上课要提前列队。

学习：升国旗规范

活动：队列练习

(四) 小学生一日常规——课堂常规

1．课前准备：课前拿出下节课所用书本文具，放在桌子左上角（如果下节课不在教室上，桌上不摆放任何物品）。

2．听到上课铃响要有秩序地进入教室静息。

3．上课铃响后，师生问好。师：上课！班长：起立！师（弯腰）：同学们好！生（弯腰齐说）：老师好！师：请坐！

4．如上课迟到，要先喊"报告"，经老师许可后，才能进入教室。

5．上课时要坐端正，专心听讲，认真思考，积极回答问题。

6．争取回答问题或向老师发问时，要先举手，回答问题时要立正站好，自信表达，声音响亮。

7．课堂读书，食指指读或书与桌面呈60°，读完将书本轻轻放在桌子上抱臂坐直。

8．下课铃响后老师宣布下课。班长：起立。生（起立弯腰）：老师您辛苦了，老师再见。师（弯腰）：同学们再见。等老师走后，再安静下课。

学习：《课前准备歌》《上课歌》

活动：比一比谁的坐姿最标准

注意力训练（例：师说123，生说321。位数可不断增加）

(五) 小学生一日常规——课间

1．下课后，喝水，上卫生间，做有意义的活动。

2．不追逐打闹，不大声喧哗；不随地吐痰，不乱扔废纸；不乱涂乱画，不攀折花草。

3．进办公室要先喊"报告"，得到允许后方可入内。

4．看到垃圾要捡起，校园楼道不奔跑。

5．和同学相处要宽容，不歧视学习有困难的同学，不说伤害同学自尊的话，同学有困难要及时伸手帮助他。

学习：《下课歌》《放学歌》

活动：老师把要求口述出来，让学生判断对错

三、新学期，新打算

让学生说一说开学后的感想和新学期的打算。

四、读读贴贴，牢记要求

把各学科的具体要求打印出来，领着学生读一读，贴一贴。

(一) 体育课堂要求

1．集合整队：快、静、齐。

2．衣着要求：运动鞋、运动裤。

3．队列要求：队列队形一体化，口令规范，动作标准。

4．安全教育：在规定时间、规定范围内进行有序的活动。

（二）音乐课要求

1. 课前准备：课前 5 分钟由课代表和体育委员领队组织大家在教室外站队等待上课。要求：安静整齐地排队进教室；按音乐教室固定座位坐好；课代表发书。

2. 上课要求：美坐姿，坐凳子的前 1/2；认真聆听，用心歌唱；大胆表现，编创演奏。

（三）美术课要求

1. 绘画课材料准备：水彩笔、记号笔、图画本、铅笔、橡皮（学校已发）；晨光或真彩牌油画棒、A4 大小垫板、拉链文件袋一个（自备）。

2. 手工课材料准备：固体胶棒（黏性强的）、安全剪刀、正方形手工纸（色彩鲜艳的）。

3. 日常美术课只带绘画工具，需要带手工材料时另行通知。手工课使用剪刀时需要注意安全，剪东西时必须端坐在座位上，剪刀拿在手里时不可挥舞，相互递剪刀时手握刀口，手柄朝对方递出。下课铃响，剪刀进书包。

4. 课堂常规：课前由课代表发循环教材，同学们将工具材料摆放整齐，静息。下课由每组最后一名同学收课本，交给课代表。每组组长负责收发各组美术作业，交给课代表。

（四）语文课要求

1. 预习

（1）生字词：一类字圈住，一类字组的词在文中用横线画出来。二类字框住。

（2）读书：每篇课文读 3～5 遍，签上阅读所用时间。

（3）组词：每个生字组两个词，一个是课文中的词，一个是课外词。

2．书写

一笔一画写好字。作业要按格式认真书写，否则重写。

3．阅读

多读书，读好书，每天阅读半小时。

(五) 数学课要求

坚持每天进行 20 题的口算练习。

版块二：开学课程之巧手包书皮

《巧手包书皮》课程设计

课程内容：

巧手包书皮。

学情分析：

新学期来临，学生的书包里又增添了新的课本。我们会提倡学生给新书包上书皮，让他们养成爱护书本的好习惯。可是，现在很多小学生都习惯买一些花花绿绿的塑料书皮，虽然漂亮省事一些，但是缺少了自己动手的乐趣，既不安全，也不环保，所以有必要教会现在的小学生自己动手包书皮。

课程设计理念：

小学生都喜欢把自己的东西弄得漂漂亮亮而且与众不同，例如在书皮上发挥天马行空的想象。与孩子一起DIY，培养孩子的艺术细胞，也让孩子学会爱惜课本，比在外面买书皮有意义多了。另外，利用废挂历、旧画报、废弃的广告纸等包书皮还能培养孩子的环保意识、节约意识。和爸爸妈妈一起包书皮，不仅提高了孩子的动手操作能力，还增强了亲子关系。

课程目标：

1. 使学生学会包书皮的方法。

2. 培养孩子的环保意识、节约意识。

3. 培养学生在制作过程中发现问题、探究问题、解决问题的能力。

4. 制作创意书皮，培养审美能力，体会劳动的快乐。

课程重点、难点：

探究书皮的制作方法，学会制作书皮。

课程准备：

教师：书皮样品数份、多媒体课件、剪刀、长尾夹。

学生：一本英语书、一张废挂历、旧画报、废弃的广告纸等（包书皮纸）、小剪刀、长尾夹。

课程评价实施：

1. 老师对学生的课堂表现及参与度即时评价。

2. 小组长对本组组员的各方面表现进行即时评价。

3. 小组长对各组推选出来的优秀作品进行评价。

4. 评价表见附件。

教学过程：

一、谈话导入

同学们，新学期开始了，我们发了好多的新书，请你拿出一本自己最喜欢的书给老师看看好不好？

预设一：学生无一人使用自己包的书皮。教师谈话：我看到同学们都很爱书，都给新书穿上了漂亮的外衣，不过都是买的。老师小时候上学可买不来这么漂亮的书皮，发了新书后都是和爸爸妈妈一起动手制作书皮。

老师这儿有一款自己制作的书皮,同学们比较一下,它们和买的书皮有什么不同?(用的材料不同、样式不同等)

预设二:学生有使用自己包的书皮,但和老师要教的不一样。表扬自己动手制作书皮的学生,比较书皮的不同,发现书皮的特别之处。

小结:我们可以利用过期的废挂历、旧画报、废弃的广告纸等自己动手制作这款书皮,这样既环保,又可锻炼我们的动手操作能力。

今天,就让我们一起"巧手包书皮"。(书写课题:巧手包书皮)

二、探究书皮制作方法

1. 师生共同拆开一个做好的书皮,通过和老师一起量一量的方法,得知包书皮所用的纸张大小(书皮纸对折后比书大出5厘米左右的边缘即可)。板书:裁。

2. 探究交流包书皮的重要环节——如何包。重点指导压痕、折角的操作方法。板书:压。

(1)学生分小组动手拆一拆已经做好的书皮,共同研究书皮是怎样做出来的。

(2)小组交流共同探究的收获,教师适时点拨指导。

预设一:压痕——关键的一步

学生可能知道压痕,但是不能够做得很好,教师适时指导压痕方法,示范并让学生练习做一做,强化练习。方法:一只手按好书和纸,让其不动,用另一只手的大拇指和食指分别居于书的正面和侧面,来回按压两三遍,切记不要出现重复压痕线。

预设二:折角

折角这一步学生可能在折的方向上出现问题,教师根据学生的交流演示进行点拨讲解。板书：折。

（3）完整梳理包书皮的过程。

通过视频录像，学生对重点过程有一个系统连贯的感受。

三、创意书皮的制作

在老师的带领下，学生合作包书皮。多媒体出示温馨提示：

1. 两人一组分工合作，共同完成一个书皮。

2. 评选"小巧手"。标准：书皮大小合适，平整美观。

（1）学生制作，教师巡视指导，发现共性的问题及时交流。

（2）作品展评。每组选出一个作品参加展评。各小组派出一名代表，将手中贴画贴在自己喜欢的小组评价表上，教师主要引导学生从两人合作程度、书皮的大小和精致美观方面客观评价。

本环节主要培养学生动手操作能力与小组合作能力，让学生学会评价，发现优秀，并能发现问题，找出问题的原因，对包书皮的方法进一步巩固。

四、课后延伸

观看其他创意书皮的视频，鼓励学生课后利用过期的废挂历、旧画报、废弃的广告纸等包出更有创意的书皮。

附：

"巧手包书皮"活动评价表

小组：

评价内容	评价等级
听讲认真，发言积极	
团结合作，积极参与	
书皮平整，精致美观	

准备工作：

1. 活动开始前先分组，4人一组，选出小组长。

2. 给小组长分发评价表和小贴画。

3. 解释评价表。小组长根据小组成员上课发言及受表扬的情况，将手中的贴纸贴入评价表内。

课程实施掠影

版块三：开学课程之我是班级小主人

《我是班级小主人》课程设计

课程内容：

1. 班名、口号、班歌及组名。

2. 班级布置。

学情分析：

一年的学习与交往，学生之间已经十分熟悉。但经过两个月的暑假，学生之间可能会有所生疏。通过一系列的集体活动，学生能够迅速熟悉起来，利于班级良好氛围的形成。

课程设计理念：

在商讨班名、口号及班歌的过程中，学生之间交流的频率增加。而且，学生会自觉地进入角色，以班级小主人的角色布置班级。这一系列的活动能够培养学生的班集体意识，树立班级荣誉感。此外，学生在对教室进行布置后，也会自觉地去爱护教室，保持教室卫生。

课程目标：

1. 班内各小组形成组名，培养学生的团结意识。

2. 确定班级的班名、口号、班歌，激发学生的集体意识和班级责任感。

3. 布置阅读角和植物角，设计、制作文明用语，制作班级海报，帮助学生形成集体归属感。

课程准备：

彩纸、彩笔、剪刀、三盆植物盆栽。

课程评价实施：

班名、口号等的设计及班级布置的效果呈现。

教学过程：

第一课时

一、导入

同学们，看看周围的同学，是不是还是很熟悉呀！经过这样一个漫长的假期，想不想他们？从一年级到二年级，你们一起生活，一起学习。那么，你们爱不爱你们的班级呢？你们想不想为你们的班级起一个响亮的名字呢？这节课，我们就为我们所在的组和班级起名字。

二、分组讨论，确定组名、班名

（一）确定组名

老师给同学们分一下组，每一竖排为一组，一共为八组。每组选出或者指定一位学生为组长。你们要不要给自己的组取一个名字？（为学生提供组名命名的示例）在组员进行讨论之后，确定自己组的组名，并在班级内进行分享，说出自己组这样设计名字的想法。

（二）确定班名

（为学生提供示例）这些是其他人想到的，哪个同学有其他的建议或者想法？鼓励学生积极思考。之后，由各个小组讨论班级名称，将讨论的结果汇总在黑板上，由全班同学举手表决，最终确定班级的名称。

三、集思广益，确定班级口号

我们班的名称已经确定了，"××××"这个名字既好听，又响亮。我们班的学生真是太聪明啦！名字有了，接下来做什么呢？对，我们要为班级想一个口号（为学生提供示例），大家动脑筋想一想，想一个有趣、响亮的口号。下面，我们各组赶快讨论一下。

将各组讨论的结果呈现在黑板上，并说明自己组这样设计的原因。然后进行投票表决，确定班级口号。

四、选班歌

班歌以励志的、积极向上的为主。教师可以鼓励学生进行自荐。全班举手表决，确定班级的班歌。然后，由会唱的学生带领（教）全班学生一起唱。

五、小结

在这节课里，我们给自己的班级起了一个好听的名字，又想了一个响亮的口号。而且，我们班学生多才多艺，还确定了我们的班歌。希望同学们像我们的班名那样……像口号说的那样……（依据班名、口号进行解读）

第二课时

一、导入

大家看看四周，我们来到了一个新的教室。现在，你们想不想做一个设计师，把教室装饰一下？

二、任务布置

现在，我们明确一下教室装饰的几个部分。

(一）创意文明标语

在灯的开关处、前面的两个垃圾篓以及后面的垃圾箱摆放处、植物角和阅读角，制作文明标语，样式不限，可以是一句话，也可以是一幅图。（由一个小组的学生进行设计，并制作出来，贴在相应的位置）

（二）制作班级海报

制作班级海报，写上班名、口号、班歌以及各个小组的组名，呈现的样式不限。（由一个小组的学生进行设计，并制作出来，组内商定粘贴的位置）

（三）装饰植物角（教室右前方的置物架）

1．由班内的三个学生，每人带一盆植物，并了解自己所带的植物。

2．三个学生所在的组（即三个组）商讨，为植物角命名。

3．三个组的学生为这三盆植物设计名片，简单介绍该植物的信息。

（四）装饰阅读角（教室右后方的置物架）

1．由三个组的学生为阅读角命名。

2．整理阅读角的书籍，将书籍整齐摆放。

3．由学生进行简单的设计、装饰。

三、小组分工进行

教师巡视，并为学生提供适当的帮助。例如，让小组组长对组员进行细化分工，对学生的创意进行完善，等等。

四、成果呈现

由各个小组介绍自己组的设计成果，并说明自己组这样设计的想法和缘由。

五、小结

大家看一看，这是我们这一节课劳动的成果，我们的教室漂不漂亮？

这是同学们辛苦劳动的成果，大家一定要爱惜、爱护它们，不要破坏它们，好不好？同样，许多老师辛辛苦苦地对教学楼北楼的走廊进行了布置，里面很有趣、很漂亮。过几天我们就会去参观，希望大家也能够小心爱护，不摸它们，不破坏它们。

版块四：开学课程之暑假生活文化

《暑假生活文化》课程设计

课程内容：

本课程是对暑假生活的回顾，将阅读的图书、课外知识等内容进行分享交流。

学情分析：

刚开学的第一周，学生都特别兴奋，因为两个月没有见，大家有太多的见闻感受需要分享。分享的内容有很多方面，吃、喝、玩、乐、学，应有尽有。为了让学生对假期生活来一个梳理，同时能够收收心，投入到学习中去，就设置了这个主题的活动。

课程设计理念：

学生假期学到了很多，但也很杂很乱，老师引导学生一步步梳理，帮助学生把学到的知识系统化、条理化，同时也对学生假期生活有了一个深入的了解。

课程目标：

1. 通过梳理假期生活，培养学生的思维整理能力、语言表达能力。
2. 通过交流分享，检验学生假期作业的完成情况，培养学生的文化意识。

课程评价实施：

1. 老师根据学生的课堂表现进行评价，奖励红花。

2. 学生选出自己认为暑假分享比较好的同学，老师对其进行红花奖励。

3. 红花最后粘贴在学生的"荣誉护照"上。

教学过程：

一、导入

1. 同学们，暑假你们都做了什么？

2. 大家吃了、喝了、玩了，但是大家也在暑假学到了很多知识，你们都学到了什么？在哪里学到的？

二、学生交流、汇报

1. 小组之间交流自己暑假学到的知识。

2. 请学生汇报。

3. 教师小结：同学们，你们可真棒！没有浪费暑假两个月的美好时光，学到了这么多的东西，那现在老师就要当一个考官来考考大家，看大家学到的知识到底怎么样，好吗？

三、分类交流学到的知识

1.《三字经》

(1)《三字经》简介。

《三字经》是宋朝王应麟先生所作，三字一句，四句一组，像一首诗一样，背诵起来如同唱儿歌，朗朗上口，十分有趣，又能启迪心智。古代儿童都是通过背诵《三字经》来识字明理的。背诵《三字经》的同时，就了解了传统国学、历史故事及做人做事的道理。

(2) 赛一赛（读、背、说说自己知道的某句话的意思）。

(3) 教师介绍本学期诵读书目《中华经典诵读》和《天天诵读》。

2．阅读

(1) 暑假你都读了什么书？最喜欢哪本？简单介绍一下。

(2) 教师介绍一些读书名言。

3．数学绘本

(1) 同桌交流自己的绘本。

(2) 派代表介绍自己的绘本。

(3) 教师推荐绘本。

4．大家都会利用暑假出去玩，在玩中你学到了什么知识？

读万卷书，行万里路。

5．还有些学生暑假上了辅导班，你从中又学到了什么？

四、介绍本学期的主题活动

1．本学期，我们会在上学期的基础上继续开展下午的主题活动，周五下午为家长课程。

2．你喜欢主题活动吗？上学期的主题活动，哪个给你留下了深刻的印象？

3．对于主题活动，你还有什么建议？

五、小结

同学们，知识是无穷无尽的，也是充满趣味性的。当你和知识交上朋友的时候，你会发现学习原来是一件这么快乐的事情呀！让我们携起手来，学习更多的知识，让自己变得更美好！

课程实施掠影

课程实施感悟

从迷茫到我也能行

暑假开学，重任落下，接手二年级的课程整合，十人成团，面面相觑，不知从何下手。无奈木已成舟，静下心，沉下气，誓要啃下这块硬骨头。现在进行了差不多一个月，聊聊我们的困惑和收获。

一、困惑

这一届学生在一年级的时候，每天下午已经在进行课程整合的主题活动课，现在到了二年级，继续进行课程整合，就必须要在一年级的基础上进行提升或者创新。这个现状让大家觉得头大：我们二年级开展什么呢？一年级的时候开展的开学课程、秋季课程、冬季课程、节日课程，这四大主题已经包含了方方面面，我们可以开拓的领域少之又少。带着这一困惑，我们聆听一年级的课程整合报告，和学校领导坐在一起研讨，摸索自己课程整合的方向和素材。

二、实施

时间紧，任务重，必须要做起来，迈出第一步，先开好第一周的课。于是，我们十个人拿出自己的教材，每个学科的老师介绍自己可以参加整合的内容，大家互相认领、组团，提出自己课程整合的想法，集思广益，最终确定本学期我们的课程整合主题活动分为四大主题：开学课程、传统课程、季节课程和家长课程。

第一周就是我们的开学课程。我们二年级的开学课程不能像一年级那样细，我们的重点在于巩固和提高。巩固一年级养成的好习惯，提高学生自我管理能力、动手能力和小主人翁意识。于是，第一周的课出来了，周一为习惯，周二为巧手包书皮，周三为我是班级小主人，周四为暑假生活文化，周五为每周固定的家长课程。

确定好了第一周的内容，我们十人长长地出了一口气。万事开头难，我们勇敢迈出了第一步，虽然想得脑仁儿疼，不过还有很大的喜悦伴随着我们，心里想：原来我们也行啊。

主题二：季节课程

...课程

...相关，我校的智慧课...里面都有季节的"影...季节特征的内容筛...当时的季节、气候...

（图片中文字：
中国轻工业出版社
"阅读推广人"
培养你的孩子
王思思 著
悦读养育丛书）

版块一：季节课程之秋季放歌

《秋季放歌》课程设计

课程内容：

聆听小动物的歌。

学情分析：

新学期开始，为了更好地激发学生学习音乐的兴趣，将一年级教材中学生感兴趣的音乐再次聆听进行复习。

课程目标：

1. 鼓励学生在音乐活动中大胆表现，增强学生的合作意识。

2. 在有关小动物的歌曲中能与同伴共同分享音乐的快乐。

3. 关注小动物，感受动物与人的和谐相处。

教学过程：

一、欣赏《鸭子拌嘴》

（一）分段欣赏音乐

结合音乐讲故事：

今天，老师带来了一个朋友，它的名字叫嘎嘎，嘎嘎还带来了一个故事，你们想听吗？想听的同学请坐好。

图片1：一天清晨,小鸭子嘎嘎起床了,它推开家门一看,今天阳光明媚,空气真好,赶紧叫上全家一起出了门。

图片2：它们在鸭妈妈的带领下来到了池塘里,开始欢快地玩耍起来,有的鸭子拍打着翅膀嘎嘎地叫着,有的把头伸到水里找东西吃。

图片3：小鸭子嘎嘎和哥哥突然吵架了,这是怎么回事呢？我们一起来看看。

图片4：原来是因为一条小鱼,嘎嘎和哥哥那么激烈地吵起来。当我们说鸭子吵架的时候,经常会用到一个词,就是"拌嘴",这个词来形容鸭子吵架很形象！而我们今天要欣赏的乐曲的名字就是——鸭子拌嘴。你们看,嘎嘎和哥哥吵得是面红耳赤,互不相让！幸好鸭妈妈来了,哥俩才没有打起架来。时间过得真快,太阳落山了,鸭妈妈带着小鸭们,一摇一摆地回家了。

听完刚才的故事,你想对嘎嘎和哥哥说点什么吗？(渗透德育：团结友爱)那我们完整地来欣赏一遍,边欣赏边想象一下鸭子们都在干什么。

(二)欣赏与创作

1. 完整欣赏乐曲的演奏,你感受到了鸭子有哪些具体的动作？(拍翅膀、走路、玩耍、拌嘴)

2. 让我们再来听一听,看看你能不能听出鸭子们在做什么。你能模仿出来吗？请一边听音乐一边表演。(请一个学生模仿鸭子走路的情形,再请一个学生来模仿鸭子拍翅膀。抓住拌嘴"你一句我一句"的特点辨别玩耍和拌嘴,听音乐根据故事情节表演。可以请几个表现力强的同学上台演,其他学生先观看；第二遍欣赏时可以再全体表演)

3. 想一想,你还知道哪些有关小鸭子的儿歌,配音乐与大家一起分享。

二、欣赏《大象》《小象》

今天这节课还有一位动物朋友也来了，看是谁？（出示图片）

知识链接：《大象》这首乐曲取材于柏辽兹歌剧《浮士德的天谴》中《风妖之舞》圆舞曲。夏尔·卡米尔·圣-桑改为低音提琴演奏，表现大象沉重笨拙的步伐、滑稽可笑的舞姿。在钢琴奏出几小节的圆舞曲节奏后，低音提琴奏出圆舞曲主题，表现大象愉快地迈着笨重的脚步，费力地旋转舞蹈，给人以幽默可笑的感觉。

管弦乐《小象》是美国亨利·曼仙尼乐队演奏的爵士风格的乐曲。乐曲轻松活泼，形象地表现了小象们玩耍嬉戏的情景。

1. 听一听："大象来了""小象来了"。

2. 说一说：大象的脚步声是缓慢沉重的还是轻松活泼的？为什么音乐缓慢沉重？

3. 动一动：大象是怎样走路的？小象是怎样走路的？

4. 比一比：《大象》与《小象》有什么不同？

三、拓展欣赏《动物狂欢节》

知识链接：1886年，圣-桑先后到布拉格与维也纳进行旅行演奏，途中在奥地利休息了几天。就在这些日子里，他应巴黎好友的请求，创作了一部别出心裁、谐趣横生的管弦乐组曲《动物狂欢节》。全曲共有十四段音乐，在前十三段音乐中，作者都以生动的手法惟妙惟肖地描绘了一种动物，最后一段《终曲》则描写了动物们在热闹的节日中尽情狂欢的情形。整部组曲由十四段曲组成：序奏及狮王进行曲、公鸡与母鸡、羚羊、乌龟、大象、袋鼠、水族馆、野驴、林中杜鹃、大鸟笼、钢琴家、化石、天鹅、终曲。

1. 序奏及狮王进行曲：由双钢琴的序奏开始，雄伟庄严的进行曲表示狮子的登场；这只猛兽，迈着威武的步伐，带领着动物们前进。

2．公鸡与母鸡：母鸡用单簧管表示，公鸡则以最高音的钢琴表达。

3．羚羊：钢琴飞驰般的演奏，描写在辽阔的草原上奔跑追逐的羚羊。

4．乌龟：这一段音乐取用作曲家奥芬巴赫的《地狱中的奥菲欧》序曲中的一段，活泼快速的康康舞旋律。此曲慢吞吞地演奏出来，跟前段恰好形成鲜明的对比。

5．大象：在钢琴的圆舞曲节奏后，低音提琴奏出柏辽兹所作《浮士德的天谴》中《风妖之舞》的旋律以及门德尔松《仲夏夜之梦》中的诙谐曲。这些轻快的音乐，圣-桑却将它拿来描写大象笨拙的步伐与滑稽可笑的舞步。

6．袋鼠：袋鼠以长而健的后腿，踢着地面向前跳跃行进。袋鼠那出奇长且大的尾巴，也能帮助其跳跃平衡的动作。圣-桑用两台钢琴交替奏出的装饰的乐句，描述袋鼠轻快的动作。

7．水族馆：钢琴弹奏出轻缓的琶音，有如玻璃水族箱里头清水的波动，长笛与弦乐奏出安详的旋律，描述在水中悠游的鱼。

8．野驴：由第一和第二小提琴交互奏出驴的叫声。

9．林中杜鹃：钢琴的和弦表现幽静的森林，模仿杜鹃的单簧管反复地奏出两个单音——咕！咕！

10．大鸟笼：由弦乐器的颤音来表示鸟儿振翅飞翔的声音，长笛主奏表达小鸟飞跃的情景，钢琴则模仿鸟笼中小鸟的叫声。

11．钢琴家：这真是一种不可思议的"动物"，曲中反复弹奏哈农的练习曲，讽刺钢琴学生不断苦练单调乏味的音阶，多可怜。

12．化石：木琴跟管弦乐合奏出圣-桑作的《骷髅之舞》中骷髅们跳舞的旋律。

13. 天鹅：钢琴的琶音伴奏，表示清澄的湖水，接着大提琴奏出美丽迷人的旋律，描述天鹅高贵优雅、安详浮游的情形。

14. 终曲：这是所有动物一起活跃热闹的大团圆场面，最后汇集成欢乐的气氛，在灿烂欢愉的高潮中结束。

拓展欣赏音乐可以让学生随音乐表演体会。形式可以多样，上台表演、小组表演、分角色表演、集体表演等。

提示：每首音乐初听的时候一定让学生安静聆听，在此基础上再表演；要随音乐变化进行有意义的肢体动作。

作业：搜集有关小动物的歌曲和儿歌，进行展示交流。

版块二：季节课程之秋日美景

《秋日美景》课程设计

课程内容：

感知秋日美景。

学情分析：

紧随各学科教学中涉及秋天的内容，学生对秋天里的景物有了初步的了解，但对秋天景物的描述与欣赏水平还有待提高。

课程设计理念：

本课要求学生在对秋天的各种景物进行观察与欣赏之后，描述其自身的感受，这样既锻炼学生的口头语言表达能力，同时也能锻炼学生的观察力与审美力。另外对描写秋景的诗歌、文章、成语、词语的学习，也能提高学生的语文素养。

课程目标：

1. 借助学生已有的语言积累，语言自由、个性张扬地描绘秋天的景色。

2. 通过图片和相关语言的积累，激活学生的思维，培养其审美能力。

3. 用画笔表达自己对秋天的热爱之情。

课程重点、难点：

通过对秋日美景的欣赏，用画笔表达自己对秋天的热爱之情。

课程准备：

教师：多媒体课件。

学生：画纸、彩笔。

课程评价实施：

1. 老师对学生的课堂表现及参与度即时评价。

2. 根据学生的优秀作品进行评价。

教学过程：

一、谜语导入，引入秋天

1. 出示字谜：一边红，一边绿，一边喜风，一边喜雨，一边怕水，一边怕火。

（学生猜字谜。谜底：秋）

2. 过渡语：古人说，一年好景君须记，正是橙黄橘绿时，又道是，天凉好个秋。这节课，我们一起去领略一下秋日的美景。

二、感知秋天

1. 出示图片，感知秋天的美。（学生观看图片，感受秋天的美好）

2. 描写秋天的词语。

一草一木皆风景，一山一石皆入画。你记忆中的秋天是什么样的，你能用一个词来概括吗？

插入一个游戏："秋天是（　　　　）的。"（按词语接龙的形式，用词来描述秋天）

3．描写秋天的诗歌。

同学们用了这么多词语赞美秋天，谁还知道哪些现成的诗歌是描述秋天的美景的？

三、描述秋天，引导学生走进秋天的景物

大自然是一位伟大的画家，它用五彩斑斓的色彩呈现给我们一幅最美妙的画卷，那是秋之美；它又是一位最杰出的诗人，用丰收的果实唱出了大地最美的赞歌，那是秋之韵。

同学们，如果要你来当秋天的导游，你最想给大家介绍秋天的哪些景物？为什么？学生交流：说出自己最想介绍的事、物。预设：桂花、公园、田野、枫林、果园等。

四、描绘秋天的美景

美丽而又丰收的秋天我们领略完了，现在拿起你们的彩笔，自由地画一画你心中的秋日的美景吧！

版块三：季节课程之聊聊我的假期

《聊聊我的假期》课程设计

课程内容：

聊聊国庆假期的见闻、收获。

学情分析：

经过一个7天的长假，学生到校后，急于和同学们分享自己这个假期的所见、所闻、所感。

课程设计理念：

学生通过回顾、谈谈自己的假期生活，既可以把自己想说的话说出来，也能在互相交流中学到知识，还能培养各方面的能力。

课程目标：

1. 通过聊假期生活，使学生在活动中学到多方面的知识，拓展学生的视野。

2. 通过交流、分享，培养学生的语言组织表达能力。

3. 培养学生的爱国情怀，感受家人在一起的幸福。

课程评价实施：

根据学生在课堂上的表现，在"荣誉护照"上进行评价。

教学过程：

一、谈话导入

同学们，我们刚度过了国庆、中秋这个长假，你们过得开心吗？今天我们就来聊聊假期的丰富生活。

二、你看到了什么？

在这个假期，很多同学都出去游玩了，到了不同的地方，看到了以前没有见到过的东西。在你看到的东西或者风景里，印象最深刻的是什么？

1. 小组交流，交流后选出大家认为本组最精彩的发言。

2. 请小组学生代表进行介绍。

三、你学到了什么？

通过外出游玩、参观，你学到了哪些知识？有的同学虽然没有出去，但是在家里通过上网、看电视也学到了知识。还有的同学，假期也不忘学习，参加辅导班，也学到了知识，学到了什么？分享给大家吧。

四、一家人在一起的幸福时刻

国庆、中秋假期，不仅是休息、游玩的大好时间，也是一家人团聚的美好时刻。在这个假期里，你还记得一家人在一起的幸福时刻吗？说出来，让我们都来感受一下你们的甜蜜吧。

1. 先同桌交流分享。

2. 老师观察，选出学生到讲台上进行介绍。

五、假期过完了，我们该做什么了？

愉快的假期结束了，美好的回忆记在心中，接下来我们该做什么了？学习。这是我们每个学生最重要的事情。希望同学们把心收回来，集中精力投入到学习中去，争取期末取得更好的成绩。

版块四：季节课程之关爱生命 安全出行

《关爱生命 安全出行》课程设计

课程内容：

本课程融合了道德与法治、语文、地方课程等内容，这些内容的有效整合，帮助学生养成了自我保护的意识。

学情分析：

安全重如泰山！由于小学生的年龄比较小，他们的安全意识比较薄弱，自身的安全意识不强，缺乏自我保护意识。因此，培养学生的自我保护能力是学生们快乐健康成长的关键。只有学会自我保护，远离危险，我们的学生才能拥有幸福，享受美好的生活。为了学生们的安全，老师与家长都应及早教给他们一些必要的安全常识，以及处理突发事件的方法。在学生原有的认识基础上，应适时、及时地提醒，让安全意识逐渐在学生心中留下深深的烙印。

课程设计理念：

安全教育问题很重要，我们应时时刻刻把学生的安全放在心中，不忘对学生进行安全教育。我们更应该让学生知道如何解除危险，在解除危险的过程中怎样才能更好地保护自己。只有这样，才能保证学校工作正常进行，才能保证让学生安心、家长放心。让我们携起手来共同为学生营造一个安全、和谐的学习生活环境！

第一课时

课程目标：

1. 会认识一些简单的交通图标，掌握一些简单的交通知识，自觉遵守交通规则，知道一些交通事故的处理方法。

2. 认识遵守交通法规的必要性和重要性，珍爱生命。

课程评价实施：

1. 老师对学生的课堂表现及参与度即时评价。

2. 小组长对本组组员的各方面表现进行即时评价。

教学过程：

一、导入

1. 平平是一名小学一年级的学生。一天，爸爸送他去学校，路上爸爸教平平一首儿歌。

2. 一起背儿歌："红灯停，绿灯行，黄灯警示要看清；过马路，左右看，交通规则记心中。"

二、教授新课

1. 交通信号灯

（1）同学们，过马路的时候你们注意过交通信号灯吗？

（2）说说交通信号灯是什么样子的。

（3）你们知道这三种不同颜色的信号灯表示什么意思吗？

（4）老师给大家讲解三种颜色的信号灯表示的不同意思：红灯表示禁

止通行，绿灯表示通行，黄灯表示警告。

(5) 我们在上学的时候，应该怎么根据各种颜色的信号灯安全过马路呢？同学们以小组为单位，讨论这个问题，互相补充，然后各组选出代表汇报。老师总结。

2．认识交通安全标志

(1) 出示几种交通安全标志让学生辨认。

(2) 人行横道是专门为行人设置的安全通道，行人走路要走人行横道。没有人行横道的地方，要靠路边行走，一定要注意前后左右的车辆，否则容易发生意外。

(3) 机动车车道是道路中间的车道，供汽车等机动车行驶。（出示图，边讲边让学生辨认）

(4) 非机动车车道是道路两边的车道，供自行车等非机动车行驶。（出示图，边讲边让学生辨认）

三、扩展练习

1．除了刚才说过的这几种交通安全标志，你还知道哪些交通安全标志？

2．画一画你知道的交通安全标志，让大家猜。

第二课时

教学过程：

一、课前交流，激发兴趣

同学们，你们看到过或听到过交通事故吗？这些交通事故发生后，造成了什么后果？（学生就此话题进行交流，教师点拨，在调动兴趣的同时，

使学生意识到交通安全的重要性，重视安全，珍爱生命）

二、悲情再现，展示活动主题

同学们，今天我们要开展一次有意思的活动。在活动之前，请同学们先看一段视频。（课件播放交通事故视频）

教师一边播放课件（路面一连串因为不注意安全而导致的悲剧的视频），一边讲述：随着经济的快速发展，我们的地球母亲已变得越来越美丽，马路上车辆川流不息的景象随处可见。然而由于有些人交通安全意识淡薄，在车水马龙的马路上上演了一幕幕不可挽回的悲剧。

当你看到一个个鲜活的生命消失于车轮之下，当你发现一阵阵欢声笑语淹没在尖锐的汽笛声中，当你面对那些触目惊心的场景时，同学们想说些什么？（学生各抒己见，教师点拨，使学生体会到车祸给个人、家庭带来的痛苦及给社会带来的危害，帮助学生加深对遵守交通规则、注意交通安全意义的认识）

教师小结：是啊！面对这一幕幕悲剧，我们能不感到痛心疾首吗？那么，如何降低交通事故对我们造成的危害呢？这就是我们今天学习的主题：关爱生命　安全出行。（教师板书课题）

三、遵守交通规则，关爱生命（板书：遵守规则）

危险离我们很近，车轮下真实的死亡报告，给我们带来的不仅仅是震惊和痛心，更重要的是警醒和反思。那么，是什么造成了这场悲剧？

学生交流造成悲剧发生的原因。（违反交通规则）

教师深究：他们为什么会违反交通规则？（学生交流，得出：有时是不知道；有时是知道，但思想上麻痹大意）所以，我们不光要了解更多的交通知识，更要怎样？（懂得时时遵守交通规则）

小结：正因为人们对交通法规的漠视，才酿成了这一起起的车祸，有多少人为此付出了鲜血和生命的代价！同学们，交通规则并不复杂，只要稍加用心，谁都能熟练掌握。我们每个公民都有责任和义务来维护交通安全，遵守交通法规。生命是可贵的，每个人都应该珍惜自己宝贵的生命。

四、学习交通知识，增强意识（板书：增强意识）

以小组为单位展开竞赛：说说走路、骑自行车、乘车安全知识。（小组交流，指名汇报，教师小结）

1. 学生道路行走应注意：①在道路上行走，要走人行道，没有人行道，靠路右边走。②集体外出时，要有组织、有秩序列队行走。③穿越马路，要走斑马线。④遇到红灯要停止，做到"红停绿过"。⑤要学会避让机动车辆。⑥不能在马路上逗留、玩耍、打闹、追逐。

2. 学生骑自行车上路应注意：①不在人行道上骑车，应在非机动车道上靠右行驶。②横穿马路要减速、观察或下车推车过路。③转弯时减速，观察并打手势。④不要双手离把，不要并肩行驶。⑤骑车不打闹，不追逐。⑥骑车不要攀扶机动车辆。

3. 学生乘车应注意：①乘坐公共汽车或校车，要排队候车，按先后顺序上车，不要拥挤。上下车均应等车停稳以后，先下后上，不要争抢。②不要把汽油、爆竹等易燃易爆的危险品带入车内。③乘车时不要把头、手、胳膊伸出窗外，以免被对面来的车或路边树木等刮伤；也不要向车窗外乱扔杂物，以免伤及他人。④乘车时要坐稳扶好，没有座位时，要双脚自然分开，侧向站立，手应握紧扶手，以免车辆紧急刹车时摔倒受伤。

五、做练习，巩固交通知识

通过必答题和抢答题，让学生掌握一些基本的交通法规，预防交通事故的发生。

六、补充资料，了解交通安全警示语

在大家的共同努力下，我们完成了这个游戏，也知道了更多的交通知识，光自己知道还不行，我们要让更多的人知道。来，一起读读这些安全口号。（课件出示"交通安全警示语"）

七、归纳总结，发出倡议

教师发出倡议（课件出示倡议书），并做最后总结：交通安全牵连着千家万户的幸福和欢乐，关系到每一位公民的健康，关系到每一位同学的生命。我们每一个少先队员，都应用自己的实际行动为交通秩序做出应有的贡献。我们每一个人都应该珍爱自己的生命，珍爱他人的生命，共创平安大道，让这个世界少一点哭声，多一些笑声，让安全与我们同行，让安全永驻我们心间！

版块五：季节课程之秋叶

《秋叶》课程设计

课程内容：

感知秋天的树叶。

学情分析：

秋天是五彩斑斓的，鲜艳、美丽的色彩让孩子们喜爱。秋叶也是五彩斑斓的，它不同于春天只有单一的绿色，在秋季里，有的叶子会慢慢变红、变黄……孩子们走进自然，运用自己的感官发现秋天是多姿多彩的，秋叶预示着美丽的秋天来了。树叶纷纷落下，我们收集到了许许多多形态各异的树叶。它们色彩丰富，脉络清晰：有卵形的，如国槐、榆树；有心形的，如杨树、丁香；有掌形的，如槭树、蓖麻；有扇形的，如银杏；有针形的，如松、柏；有披针形的，如柳树、夹竹桃、竹；有带形的，如马莲、二月兰、玉米等。如何把这些叶子有趣的造型永久保留下来呢？我们可以带着孩子们利用手中五颜六色的油画棒、彩色铅笔，以拓印的形式留存下来。

课程设计理念：

树叶是学生身边最容易找到的一种创作素材，是自然界中最常见的。

以树叶这一特殊的、有趣的材料为表现元素，学生通过收集、观察、组合、拓印树叶这一过程，在不知不觉中和大自然融为一体，从而体会和认识到大自然的美，养成热爱大自然的情感，同时提高了审美能力、想象力、动手能力。

课程目标：

1. 观察欣赏秋天树叶的色彩、形状，感受秋叶美，培养学生观察和探索大自然的兴趣，热爱大自然的情感。

2. 乐于参加拓印树叶的活动，用不同的树叶组织出新颖别致的造型，提高学生的审美能力、创造能力。

3. 尝试用简短的语句表达自己的感受，体验活动的快乐。

课程重点、难点：

欣赏、感知秋天树叶的色彩美，通过对不同树叶的观察与组合，进而进行奇妙的联想。拓印树叶进行粘贴与美化，尝试用简短的语句表达自己的感受。

课程准备：

树叶、蜡笔、A4纸、剪刀、双面胶。

课程评价实施：

1. 老师对学生的课堂表现及参与度即时评价。

2. 小组长对本组组员的各方面表现进行即时评价。

3. 小组长对各组推选出来的优秀作品进行评价。

教学过程：

第一课时

一、情境导入：初步感受秋天树叶的色彩、形状

1．欣赏秋叶美景

秋天到了，树叶宝宝变得好美呀，我们一起来看看吧！秋天的树叶宝宝有哪些颜色呢？

2．引导学生仔细观察树叶，感受树叶慢慢变红、变黄的过程。

我们一起来看看，秋天的这片树叶慢慢地变红、变黄了，真美呀。

3．引导学生仔细观察树叶，感知树叶的形状美。

有卵形、心形、掌形、扇形、针形、披针形、带形等。谁能用简单的比喻句来形容叶子的形状？

4．如何才能将这些好看的秋叶永久地保留下来——拓印。

二、作品欣赏，加深对秋叶美的感受

1．出示秋叶拓印画，引导学生欣赏秋叶美。（重点引导学生从颜色、形状、整体感觉、色彩对比等多方面欣赏）

2．看微课了解如何进行树叶拓印。

3．总结拓印树叶时应注意的问题。

三、尝试拓印

挑选一片自己喜欢的叶子进行拓印。

第二课时

一、展开联想，完成拓印作品

引导学生更好地利用叶子形状的原始状态进行创造性的组合，以添画的形式完成一幅秋叶拓印画作品。

二、欣赏儿歌《秋叶飘》

秋叶飘

秋叶秋叶跟着秋风，悄悄悄悄溜出家门。

秋风吹口哨，秋叶把舞跳。

转转转，转转转，转转转，转转转，转上天；

摇摇摇，摇摇摇，摇摇摇，摇摇摇，摇下地。

累坏了，累坏了，累坏了，躺在地上，躺在地上睡一觉。

三、小组讲故事

小组选出最棒的作品，看图讲故事。

课程实施掠影

课程实施感悟

拓印的乐趣

美丽的秋天到来了，秋风送爽也送来了秋姑娘对我们的祝福，它们被写在一片片美丽的树叶上，随风飘落在校园里、公园里、小路上。

孩子们捡到了各种各样造型的树叶，有心形的、扇形的、椭圆形的、手掌形的、线形的……有大有小，孩子们兴奋地相互展示着自己捡到的漂亮树叶，七嘴八舌地议论着，尝试着能用这些树叶做成哪些有趣的拓印形象。

有人用银杏的叶子印出来的形象像蝴蝶；有人用梧桐树的叶子印出来的形象就变成了小金鱼的尾巴，再加上冬青树的叶子印成金鱼的身体，添上黑眼睛就变成了漂亮的小金鱼；大一点的叶子印出来像荷叶……

也有人什么也印不出来，只看见黑乎乎的一片。这是怎么回事呢？孩子们通过实践和讨论发现：原来选择树叶也是有学问的啊，做这样的拓印画最好选择叶子比较厚的、脉络清晰的才行呢！拓印的时候要先观察一下手中的叶子，用手摸一摸，选择凹凸不平的那面朝上，还要用左手手指将纸按牢，右手握着彩铅或油画棒，要握得稍微低一点，尽量让彩铅或油画棒的笔尖平着在纸面上磨，这样才能清晰地拓印出树叶的形象。

孩子们还根据自己拓印的内容，讲述了一个个有趣搞笑的小故事，天马行空，充满童趣，看着他们一个个因为兴奋和激动而红扑扑的脸蛋儿，我觉得能够陪着他们成长真的好幸福。

版块六：季节课程之校园安全

《校园安全》课程设计

课程内容：

学生校园安全。

学情分析：

二年级的学生安全意识还不强，在课间活动中玩耍打闹时容易受伤。因此，应该对学生进行安全教育，提高学生的安全意识。

课程设计理念：

从两方面入手：一方面是学生要提升自己在学校的人身安全意识；另一方面是对学生交往进行安全教育，避免校园欺凌。

课程目标：

1. 提高学生校园安全意识。

2. 让学生知道在校园里哪些行为是不安全的。

3. 引导学生知道一旦不安全的事情发生了应该如何去处理。

课程评价实施：

学生课堂参与度以及学生的课堂纪律表现。

教学过程：

第一课时

一、导入

1. 安全对我们来说非常重要，在校园里也要时刻注意安全。

同学们，我们每天高高兴兴地来学校，放学了，父母也希望我们能够平平安安地回家。因此，即使在校园里面，我们也要注意安全。

2. 让学生列举发生在校园里的事故。

(1) 高空抛物，砸到同学。

(2) 在走廊里追逐打闹，撞到了同学，出现不应有的事故。

(3) 攀爬护栏，摔到楼下。

3. 学生自由谈发生在校园里的事故。

4. 教师总结。

校园里也到处存在安全隐患，我们一定要注意安全。

二、交流讨论

(一) 在校园里我们应当注意哪些方面的安全？

(1) 上下楼梯应当注意哪些安全？为什么？应当如何做？

学生回答后教师强调：上下楼梯靠右边走；下楼时用手扶着楼梯扶手下楼；不许向楼梯外探身；上下楼梯不许跑，不许拥挤抢先；不许在楼梯内打闹、疯跑、做游戏、做体育活动；放学时，排队下楼，不许拥挤，不许在楼道上系鞋带、滞留等。

(2) 在走廊里应注意哪些安全？为什么？应当如何做？

学生回答后教师强调：轻声慢步，不跑不叫；不追逐打闹；不做游戏；

不攀爬护栏；不向楼下吐痰、丢东西；无事不到其他楼层乱窜。

（3）在教室里应当注意哪些安全呢？为什么？应如何做？

教师明确强调：轻声慢步，不跑不叫；不乱攀爬桌凳；不点燃垃圾，不玩火；不乱摸电源开关；发现电线、开关插座等有损坏及时报告,不乱动。

（4）在校园里应当注意哪些安全？为什么？应如何做？

学生交流回答后教师总结：不疯跑大叫；不到操场玩树枝、木棍、砖块等；不攀爬车棚、围墙；不在国旗台上及其周围玩耍；不做危险游戏（哪些是危险游戏）；参加升旗仪式、文艺演出、做操等大型集体活动时，要遵守纪律、听从指挥，按要求集合、行动、疏散、撤离；不携带、不玩易燃易爆物品和管制刀具（哪些是管制刀具）。

（5）在厕所里应该注意哪些安全？为什么？应当如何做？

教师明确强调：不追逐打闹做游戏；男生大便入坑，小便入池；不推不挤，不跑不叫，慢蹲慢起，严防跌倒。

（6）体育课应注意哪些安全？为什么？

学生交流，指名回答后教师强调：要在老师的指导下有秩序地活动，注意安全。特别是在一些争抢激烈的运动中，自觉遵守竞赛规则对于安全是非常重要的。

（二）出现安全事故时我们应该如何应对呢？

学生交流，教师出示课件进行总结、完善。

三、巩固提升

1. 师生共同回顾应注意的安全事项。

2. 同桌互相提问应注意的事项。

3. 同桌相互提问应对策略。

四、课下交流

回家和父母再进一步讨论，还有哪些应注意的事项。

第二课时

一、视频导入

观看校园暴力视频，学生可以更直观地感受校园暴力的恶劣性质，进而讨论校园欺凌的危害，提出问题"校园欺凌有哪些危害"。

总结：校园欺凌首先给受害者的身体带来伤害；其次给受害者更为严重的心理上的伤害，使受害者产生不安全感，产生恐惧和焦虑；最后对施暴者也会产生不良影响。

多媒体出示校园暴力事件，并让学生交流讨论，认识校园暴力的危害。

二、校园欺凌案例分析

某中学一女生在食堂打饭时，和另一名女生发生口角，没想到，竟遭到多名女生毒打，其中一位打人后，还做出胜利的手势。根据以上案例，你认为应该采取哪些正确方法维护自身的合法权益？

引用案例能够让学生设身处地地思考如何保护自己，并引导学生回答：

1．保持高度的警惕性是避免侵害的前提。

2．面对"霸主"学生的侵害首先要迅速而准确地作出判断，然后机智勇敢灵活地与其斗争。

3．积极寻求家长、学校的保护。

4．受到侵害时勇敢地拿起法律武器保护自身的合法利益。

三、交流讨论，抵制校园欺凌

向学生抛出三个问题，这三个问题分别是：

1．同学间发生矛盾时，作为当事人，我们应该如何解决？

2．矛盾一时难以解决，如何有效扼制校园欺凌的发生？

3．一旦发生校园欺凌事件，如何应对？

这三个问题能够让学生思考在不同情况下如何处理矛盾，并尽可能地避免校园暴力的发生，一旦发生校园欺凌，也能够及时采取措施避免伤害。最后师生共同总结出避免校园欺凌的做法：

从受害者的角度想：不理睬，找老师，懂自救。

从施暴者的角度想：想后果，勿冲动，换位思考。

四、总结

学生再一次认识到校园暴力的伤害性，明白暴力解决不了问题，只会造成恶果，于人于己都没有好处，同学之间应该互相包容理解，发生矛盾及时找老师解决，懂得从自身做起，拒绝暴力，提高自我保护的能力。教育学生尽量不看有暴力画面的影视剧，不读有暴力情节的书刊，不玩有暴力色彩的游戏，不做有暴力倾向的人。让我们拒绝暴力，做个健康阳光的学生。

版块七：季节课程之捏泥巴

《捏泥巴》课程设计

课程内容：

学生能够在家长的陪伴下，通过各种渠道，使用各种方法，搜集个人感兴趣的知识资料，以调查表格、图片归类、实物解说等形式展示研究成果，了解传统陶瓷文化，扩展知识面。运用揉、搓、压、捏等方法改变泥巴造型，捏塑制作各种泥巴容器。

学情分析：

小学二年级的学生多为八九岁，有很强的好奇心和求知欲。泥塑是中华民族的一种传统雕塑工艺，具有悠久的历史。它是一项既能锻炼动手能力又能体现创新能力的活动项目。

课程设计理念：

针对学生好奇心强并有初步的造型能力和接受新生事物较快的特点，开展一个以泥塑为主题的活动，为学生提供一个新的学习领域；帮助学生通过玩泥巴来了解泥土特性，体验自然世界中存在的乐趣；引导学生通过对民族传统文化的了解，增强其民族自豪感。

课程目标：

1. 引导学生了解传统陶瓷文化，扩展学生知识面；使学生至少掌握一种制陶的基本方法（捏制法、泥条盘制法、轮制法等）。

2. 通过开展玩泥巴这项活动，培养学生利用现代信息技术获取信息、搜集资料、整理资料的能力。

3. 在实践中锻炼与人合作交流以及动手实践的能力，进一步培养学生发现问题、研究问题、解决问题的能力。

4. 引导学生通过对民族传统文化的了解，增强其民族自豪感。

5. 开展体验性的游戏活动，让学生在尽享动手做的乐趣的同时，将我们传统的陶瓷文化发扬光大，使这一中华艺术瑰宝代代不息。

课程评价实施：

课堂随机评价、作品展示评价、小组评价等。

课程重点、难点：

学生小组交流各自搜集到的关于陶瓷的资料，了解中国的陶瓷文化，探究捏泥的方法，并创造出形态各异的器物形象。

教学过程：

一、话题引入

播放泥塑相关的视频。

二、探究学习

1. 小组展示各自搜集的资料

新石器时期人类制作的陶罐、古代瓷器、陶瓷器物的制作过程。

2. 欣赏作品——白陶鬶

这是用来盛放物品的，我们把它叫作容器。

3. 看视频了解如何用陶泥塑形，学习使器皿成形的方法

三、实践活动

学生尝试用组合的方法制作杯子、罐子。

1. 制作要求：①用手捏制一件器皿；②注意造型美观；③有一定的造型。

2. 在学生捏的过程中，教师应给予适当的启发。重点：①造型；②装饰。

3. 为自己制作的容器写一段介绍语，描述一下它的外形特点和用途。

四、展示交流

向大家展示并介绍你的作品。

课程实施掠影

课程实施感悟

泥巴真听话

阳光明媚的午后，我们将要进行的是二年级季节课程《捏泥巴》。待孩

子们的情绪稳定后，我宣布了这节课的活动内容：尝试将泥团变成自己喜欢的形状。这节课可以让孩子们充分体验玩泥巴、捏泥巴的乐趣，并且在动手做的过程中，培养学生大胆尝试、发现问题、解决问题等各方面的综合能力。

孩子们高兴极了，卷起了袖子，露出了小胳膊，系好了大围裙。塑料布、小盆、抹布，所有的装备都齐全了，他们尽兴地在小盆里揉着棕色的泥巴，大声地讨论着："泥巴不听话呀，太软了怎么办？""太硬了怎么办？""泥条总是断怎么办？""不光滑怎么办？"还有一部分孩子竟充当起了小老师的角色，热情地为小伙伴们"排忧解难"，当然，这其中也不乏越帮越忙的。

虽然每个孩子的双手都沾满了泥巴，但他们心里却都是高兴的，表情都是兴奋的，这其中的乐趣是妙不可言！他们相互交流着自己刚刚的体验，或是一本正经地对小伙伴讲授自己早已具有的"经验"——不时地往盆里加着水，添着土，努力将稀的变稠，稠的变稀，努力将散开的泥土揉成软硬适中、柔韧光滑的泥团，尝试着把固执的泥土变成听话的泥巴。

在老师的鼓励和带动下，孩子们大胆地抓起泥巴揉着、和着。在这样一片欢声笑语中，他们用稚嫩的小手把泥巴变成了一个个质朴的小瓶子、小罐子、小桌子、小凳子！孩子们开心地说："我们的泥巴真听话！"

版块八：季节课程之感恩的心，感谢有你

《感恩的心，感谢有你》课程设计

课程内容：

感恩教育。

学情分析：

班级中有部分学生和家长、老师在学习与生活上发生矛盾，从而引发了种种冲突。通过主题教育，学生意识到生活中并不缺少爱，而是缺乏感知能力。让学生感知到无处不在的爱，从而萌发感恩之心；学会感恩，体验到生活中值得感恩的人、值得感恩的事无限多；逐渐养成感恩的习惯。

课程设计理念：

感恩是中华民族的传统美德，在这样一个浮躁而功利的时代，有些人走向迷失，不是敬天爱人，而是怨天尤人，不是知恩报恩，而是自私冷漠，通过这次主题活动，唤醒学生们心中的感恩之心。

第二课时

课程目标：

1. 阅读绘本《爱心树》，了解故事内容，大胆表达自己的感想。

2．感受大树无私的奉献精神，懂得付出也是一种快乐。

3．体会父母如大树般无私付出的关爱之情，学会感恩，学会回报。

教学过程：

一、赏读封面，猜想故事

1．认识封面：你看到封面上画了什么？（男孩和树）

2．了解作者：谢尔·希尔弗斯坦是美国最伟大的绘本作家之一，他的绘本最受孩子们的喜爱。

3．猜想故事：男孩与大树会发生什么样的故事？

二、读文赏图，激发想象

1．师生共同阅读绘本。

（1）理解词语：孤独。

（2）猜测：长大后的男孩还会再回来吗？他和大树又会发生什么样的事情？

2．生自主阅读绘本。

（1）集中提问：男孩回来了吗？男孩每次回来都让大树没有了什么？（大树没有了果实、树枝、树干）

（2）猜测交流：失去了果实、树枝、树干的大树心情是怎样的？（难过，伤心）

过渡语：到底大树心情是怎样的呢？难受还是伤心？我们一起再来走近这棵大树。

3．师生集体阅读绘本。

（1）交流：原来大树的心情是什么样的？（快乐）

（2）感受大树的无私奉献：失去了果实、树枝、树干的大树为什么却

是快乐的呢？（因为他爱男孩，孩子的快乐就是大树的快乐）

4．给大树取名。

这是一棵什么样的树？（爱心树）

5．教师讲述故事尾声。

过渡语：只剩下树墩的大树还能再帮助男孩吗？

6．整体欣赏，交流提升。

（1）男孩只会向大树不断索取，却不懂得感恩、回报，对吗？

（2）假如你是那个小男孩，爱心树给你带来这么多的快乐，你会给爱心树什么快乐呢？（浇水，修剪枝叶，给大树唱歌、跳舞……）

三、联系生活，情感迁移

1．情感提升：快乐着男孩的快乐，忧伤着男孩的忧伤，这就是男孩的爱心树，爱他胜过爱自己。亲爱的孩子，你的生命中是否有这样的一棵爱心树？

2．学会回报：你想对他（她）说些什么呢？你想为他（她）做些什么呢？我们应该怎样回报父母的爱？（做个听话的孩子，帮爸爸妈妈做些力所能及的家务）

四、活动延伸：行动感恩

让我们带着感恩的心，做一件力所能及的事情。

版块九：季节课程之学会管理自己

《学会管理自己》课程设计

课程内容：

让学生学会管理自己的时间，合理地、有计划地、主动地去做事情。

学情分析：

二年级的学生依然处于依赖家长、老师的阶段，大部分学生还没有形成主动做事情的意识，还处在需要老师、家长督促的阶段，本节课就是想通过举实例、讨论、谈话等方式来让学生养成主动做计划的习惯。

课程目标：

1. 教给学生克服做事无计划的毛病。
2. 引导学生学会合理安排自己的学习和生活。
3. 培养学生的自立意识，增强学生生活、学习的自立能力。

课程准备：

师：多媒体课件、周末计划表（附件）。

生：一张卡纸。

课程评价实施：

1. 根据学生课堂中的表现评价。

2. 根据学生周末计划表完成情况，老师给予其不同数量的小印章进行鼓励。

教学过程：

一、导入

1. 课件出示

现象一：苗苗回到家后，马上把电视机打开，但是，动画片的片尾曲响了起来，动画片结束了。本来被老师留在教室里做作业，苗苗心里已经很难过了，这次连她最喜欢的动画片大结局也错过了，苗苗伤心地哭了起来，并向妈妈抱怨说："我觉得自己已经尽了最大努力，可是每天的事情太多了，要写作业、看电视、复习功课，还要帮妈妈做家务、锻炼身体，我觉得时间太不够用了。"

现象二：一位二年级的老师这样描述他的学生：我班的小江一天到晚总是忙忙乱乱、慌慌张张、丢三落四的，不是把作业本忘在家里了，就是忘了带课本，还有一次考试时，他竟然忘了带文具盒。我和他的家长曾多次提醒过他，做事之前计划好就不会丢三落四了，但这个孩子的坏毛病一直也没有改掉。

2. 针对以上两个现象，讨论两位同学为什么会出现这样的问题。

提示：做事情没有计划。

3. 生活中，你遇到过哪些类似的现象？

（1）早晨一起床，孩子就把房间翻得一团糟，你问他在干什么，他很着急地告诉你："我的袜子呢？妈妈，快帮我找找，马上要迟到了。"

（2）如何解决类似的问题？

提示：最好的办法就是学会做事有计划，即对自己要做的事情有具体

的时间规定,有准备、有措施、有安排、有步骤。(出示课题:学会管理自己)

二、怎样做事情才有计划?

(一)自己的事情主动做

活动一:学生调查,激发兴趣

今天我们来做个调查,请同学们如实反映:

1. 你自己收拾房间吗?

2. 你的物品摆放通常很有条理吗?

3. 你自己洗衣服吗?

4. 你在家主动打扫卫生吗?

5. 你会做饭吗?

6. 你上每节课都能认真听讲吗?

7. 你课前能自觉预习、课后能认真复习吗?

8. 没有老师、家长的监督,你能独立完成作业吗?

上述8条中,你能做到几条?(教师根据调查情况,提示学生学会管理自己,自己的事情主动做)

活动二:让我们看看课件中的小朋友主动做到了哪些事情?(课件出示:主动打扫卫生,主动做好课前准备……)

为什么要自己的事情主动做?

(陶行知说过这样一句话:滴自己的汗,吃自己的饭,自己的事,自己干。靠人,靠天,靠祖上,都不算好汉)

活动三:自评与他评

1. 你还能自己主动做哪些事情?一起来做张卡片,写上自己能主动做到的事情吧!(出示卡片样例)

2. 其他同学能做的事情你也能做到吗？与同学交换卡片，看看他们能做到哪些事情。

（二）学习有步骤地做事

1. （课件出示图文）这真是一个丢三落四的小朋友呀！丢三落四可不是一个好习惯，那么我们怎样才能告别这种现象呢？

提示：做事有步骤！

2. 行动转化。

那就让我们马上行动起来，从自己身边的小事做起，迈出习惯养成的第一步。请同学们把自己的文具盒整理好，然后整理自己的书包、课桌。在整理的过程中首先要想想怎样做到有条理，以方便自己使用。其次整理出来的垃圾要分类存放，把饮料瓶、废纸留好，下课后交给班级管理员统一保存卖钱。好，下面开始行动，时间三分钟。

整理完的同学能说说为什么在这么短的时间能整理完吗？整理不完的同学想一想是什么原因。（生回答，师引导：做事有步骤，效果就不同）

（三）制订周末计划

情景剧1：我的周末我做主。

情景剧2：我的周末好悲惨。

小组讨论：为什么第一位同学的周末自己可以做主，而且安排得丰富多彩，第二位同学的周末却过得很悲惨呢？

提示：有计划的生活很重要！

三、课后作业

请带着老师下发的"我的周末计划表"，回家和父母一起协商制订。（学生按照计划完成的，在表格中给自己画上一颗星星）

要求：先安排重要且紧急的事情，再安排紧急不重要的事情，然后安排重要不紧急的事情，最后安排不重要也不紧急的事情。

附件：

我的周末计划表

我的周末计划		
班级： 姓名：		
	周六	周日
上午		
下午		

版块十：季节课程之自我提升

《自我提升》课程设计

课程内容：

学会充满自信，正确认识并夸奖自己与他人。

学情分析：

二年级的学生处在以自我为中心向关心他人的过渡期，他们比较关注自己，但对自己的优点并没有一个全面的认识，对他人的优点还不能够正确地认识，或者是还没有意识到要赞美别人。因此通过这节课鼓励学生发现、欣赏自己的优点和长处，树立自信心，并从别人身上看到优点和长处，欣赏别人，向他们学习，是极为重要的。

课程目标：

1. 引导学生正确认识自己的优点，增加自信心。
2. 引导学生结合平时的观察，学会赞扬别人的优点和长处。

课程准备：

教师：多媒体课件、"优点星"评价表（附件）、棒棒糖。

学生："优点星"卡片。

课程评价实施：

教师可根据学生在课堂中的表现及评价表中的反馈信息来评价。

教学过程：

一、"棒棒糖"游戏导入

同学们，你们喜欢吃棒棒糖吗？那咱们就来玩一个游戏。游戏的名字叫"棒棒糖"。谁想吃棒棒糖？那就伸出你的两个大拇指，跟着老师一起做："棒，棒，你真棒。棒，棒，我真棒。"

棒棒糖品尝得怎么样？那现在同桌两个，彼此再给对方一颗棒棒糖吧！

二、"击鼓传花话优点"游戏

（一）大声说优点

同学们，老师看大家吃到棒棒糖，都美滋滋的。我们再做一个游戏——"击鼓传花话优点"。这是什么意思？怎么玩呢？想知道的话，请坐端正，把棒棒糖收起来，课下再吃，睁大眼睛仔细看游戏规则：

1．活动中要保持安静，每次老师说"开始"时再往下传。

2．鼓声落，花停，传到谁谁起立，向全班同学大声自豪地说出自己的优点。

3．说出优点的同学可以来讲台上展示自己的优点。

（注：这个游戏可提问 5～10 个学生，根据课堂中学生回答问题所占的时间决定）

（二）优点大发现

我们班的每一位学生都是一颗闪闪发光的明星，都这么多才多艺，优点如繁星般耀眼，这个游戏就到这里，还有一些同学没有说出自己的优点，老师相信你们也像刚才的同学一样优秀，请你们赶快拿出老师发给大家的

"优点星"评价表，在"我的优点"的表格里，找到自己的优点在上面画上一颗星星吧。

三、游戏猜一猜

(一)"猜猜他是谁"游戏

发现了自己的优点，是一件令人高兴的事，发现别人的优点也是一件令人高兴的事，不信就来试试。下面我们一起再来玩一个游戏"猜猜他是谁"。

游戏规则：

1．小组内一人说，其他人猜，然后再全班同学一起猜。

2．被夸的人说一说被夸的感受。

3．夸奖的人说一说夸别人的感受。

(二)还有哪些同学想夸一夸其他的同学呢？指名夸，被夸的人说心情和感受。

四、写一写，赠一赠

1．写一写

有很多同学没有夸到你想夸的人，那么就把课前准备好的"优点星"卡片拿出来写上你赞美的话吧！

2．赠一赠

写完后，先找几名同学念出来，再送到你夸奖的学生的手里，接到卡片的同学说心情，然后再全班分组轮流送"优点星"卡片。

五、想一想，学一学

1．我发现我们班的同学是那么优秀，有那么多的优点。老师真为你们感到自豪！这些优点像一颗颗小星星一样，照亮我们前行的路，谁的优点多,谁得到的光亮也多,一旦你的优点不存在了,那颗星星也会很快消失,你们有什么好办法可以让它们永远不消失吗?

2. 生回答,师课件出示:保持和发扬自己的优点,不断学习别人的优点。

六、总结

孩子们,看看课桌上的"优点星"评价表,你们想对自己和大家说点什么吗?今天我们知道了发现自己和别人的优点是件很快乐的事,让我们保持和发扬自己的优点,不断学习别人的优点,让我们的优点似繁星布满天空,让我们的生活自信、快乐每一天。

附件:

"优点星"评价表

姓名:_____   班级:_____

我的优点			
1. 活泼可爱		10. 讲卫生	
2. 乐于助人		11. 有礼貌	
3. 爱学习		12. 爱举手发言	
4. 爱读书		13. 会关心人	
5. 听话懂事		14. 会唱歌	
6. 守纪律		15. 会跳舞	
7. 诚实		16. 会干家务	
8. 字写得漂亮		17. 会夸奖人	
9. 爱劳动		18. 学习认真	
19.			

版块十一：季节课程之小动物过冬

《小动物过冬》课程设计

课程内容：

小动物都是怎样过冬的？

学情分析：

冬天到了，动物的踪迹越来越少，蚂蚁钻进洞里，小燕子飞走了……这些现象无不引起学生的注意。在户外活动时，他们会不约而同产生疑问：为什么蚂蚁不出来搬食啦？小燕子怎么不见啦？……本次课程就是要帮助学生解决生活中的动物怎样过冬的疑惑。

课程设计理念：

读懂低年级孩子的兴趣需要、发展需要，通过本活动让学生了解生活中动物不同的过冬方式，以激发学生探究动物的兴趣和爱护照顾动物的情感。

课程目标：

1. 引导学生了解动物过冬的不同方式。
2. 培养学生的观察能力，初步了解动物对环境的依存关系和适应特点。
3. 激发学生探索动物生活的兴趣和关心爱护动物的情感。

课程评价实施：

借助"荣誉护照"等表格，各科教师对学生进行持之以恒的要求、训练、检查、评价。

教学过程：

第一课时

一、谈话导入主题

现在是什么季节？你感觉怎么样？冬天人们是怎样过冬的？（尽量待在屋里不出来；暖气；棉衣……动物们是怎样过冬的呢？我们一起来看大屏幕，看看动物们是怎样过冬的。

二、新授

（一）播放课件（边播放边讲述故事）

提问：1．刚才屏幕里出现了哪些小动物？

2．它们是怎样过冬的？

（二）引导学生总结动物过冬的几种不同方式，提出问题讨论：

1．青蛙在冬天里靠冬眠来过冬，还有哪些动物也是靠冬眠过冬的？（蛇、狗熊、蜗牛、蚯蚓、乌龟等）

2．还有哪些动物和小松鼠一样靠储存粮食来过冬呢？（蜜蜂、蚂蚁、田鼠等）

3．哪些动物在冬天需要加上厚厚的皮毛或羽毛来过冬呢？（狮子、狐狸、鸭子、鹿、麻雀、乌鸦等）

4．小燕子用什么方式来过冬？还有谁和小燕子一样飞到南方去？（大雁、天鹅、丹顶鹤等）

（三）游戏——快快找个温暖的家

引导学生将自己手中的动物送到布置好的背景图中，并贴在相应的过冬方式里，鼓励学生互相检查彼此选择的过冬方式是否正确。

（四）了解动物与季节的关系

小动物如果不想办法过冬，会怎么样？（学生可能会说：冻死、饿死……）

小结：在寒冷的冬天，小动物为了适应季节的变化，为了不被冻死、饿死，就根据自己的特点找到了不同的适合自己的过冬方式。

三、《冬眠的动物》绘本分享

《冬眠的动物》这本绘本描绘了很多冬眠的动物在严寒天气来临时冬眠的习性和规律。它们有的居然能在那么久的时间里不进食任何东西，那是因为它们很有远见，在食物充沛的季节，不停地进食，这样可以在身体里储存一些能量，这些动物正是靠着这些储存起来的能量才躲过严寒……

四、搜集资料，制作手抄报

我们今天认识了这么多动物的过冬方式，但其实没有说到的小动物还有很多，比如鱼、刺猬、蝙蝠等，它们是怎样过冬的呢？同学们可以回家查阅资料，把你喜欢的小动物的过冬方式制作成手抄报，咱们来一个小动物过冬的手抄报比赛好吗？

五、作业

1. 回家继续搜集各种动物过冬的方式。

2. 把自己喜欢的动物的过冬方式制作成手抄报。

3. 推荐阅读：《十四只老鼠过冬天》《雪中的朋友》《温暖的冬夜》《动物小镇下雪了》。

版块十二：季节课程之冬至

《冬至》课程设计

课程内容：

了解冬至。

学情分析：

冬至作为二十四节气之一，二年级的小学生已经有所了解，但了解得比较浅，本次课程就是要帮助学生进一步了解并认识冬至，喜爱传统节日。

课程设计理念：

通过让学生搜集冬至相关资料，感受冬至的喜庆气氛，增强学生互助合作的能力，感受传统节日的文化底蕴。

课程目标：

1. 引导学生通过搜集有关冬至的传说、民俗，通过搜集材料，真正理解"冬至大如年"的含义。

2. 增强学生互助合作的能力，引导学生感受传统节日的文化底蕴。

3. 赋予传统节日新的时代内涵，使民族文化薪火相传。

课程评价实施：

借助学校常规指南等表格，各科教师对学生进行持之以恒的要求、训练、检查、评价。

教学过程：

一、交流信息，自然引入

1. 背诵《二十四节气歌》

同学们，你们能背一背《二十四节气歌》吗？（春雨惊春清谷天，夏满芒夏暑相连，秋处露秋寒霜降，冬雪雪冬小大寒）

这朗朗上口的节气歌不仅韵律优美，而且包含了劳动人民的智慧。你知道它的含义吗？

2. 学生交流关于节气的信息

冬至是二十四节气之一，并且是一个很重要的节气。冬至这天，白天最短，黑夜最长。过了冬至开始"数九"，九九八十一天后，就迎来了春天。

3. 这节课我们一起来说说冬至。（板书：冬至）

二、说冬至由来

冬至是北半球全年中白天最短、黑夜最长的一天，过了冬至，白天就会一天天变长，黑夜会一天天变短。冬至过后，各地气候都进入一个最寒冷的阶段，也就是人们常说的"进九"，中国民间有"冷在三九，热在三伏"的说法。我国古代对冬至很重视，早在春秋时代，我国已经用土圭观测太阳测定出冬至来了。它是二十四节气中最早制订出的一个，时间在每年的阳历12月22日或者23日之间，冬至前是大雪，冬至后是小寒，因为冬至并没有固定于特定一日，所以被称为"活节"。

三、说冬至传说、习俗

过渡：为什么古代的节日还能保留至今？让我们一起用传说和习俗来说说冬至吧！

1. 用传说说冬至。传说主要有：冬至馄饨夏至面；冬至吃狗肉；全家共吃赤豆糯米饭；冬至吃饺子。

2. 用习俗说冬至。习俗主要有：祭天迎日，缅怀祖德——冬至之祭；新装雍容，衣饰应景——冬至之衣；葭灰土炭，图歌消寒——冬至之娱；盛情敬师，赠袜履长——冬至之礼；静心宁神，食疗养生——冬至之养。

3. 各地冬至习俗有不同

（1）我国幅员辽阔，地理环境各异，人们的生活方式不同，各地在冬至时有不同的风俗。北方地区有冬至宰羊、吃饺子、吃馄饨的习俗，南方地区在这一天则有吃米团、长线面的习惯，而苏南人在冬至时则吃大葱炒豆腐。

（2）苏州人过冬至时所吃的汤圆，又称冬至团，亦称"冬至丸"，流行于南方地区。每年冬至日磨糯米粉，用糖、肉、菜、果、豇豆、萝卜丝等作馅，包成团，并馈赠亲友。

（3）宁夏银川有个习俗，冬至这一天喝羊肉粉汤、吃羊肉粉汤饺子。

四、庆冬至

1. 交流：引领学生走进冬至，齐过冬至，交流自己的父辈和祖父辈是怎样过冬至的。

2. 回忆：自己家里是怎样过冬至的。要求学生在冬至节庆之际，携同家长齐过冬至，让学生在当天撰写日记，择优评奖。

五、畅想冬至

1. 畅想：冬至，你打算怎么过？

2. 结合时令要求学生在冬至节庆之际，携同家长齐过冬至，让学生在当天日记描绘出你最向往过的冬至的情景。

六、作业

1. 体验：跟家长学做馄饨或水饺，感受冬至的喜庆氛围，增强学生动手的能力。

2. 讲述：给弟弟妹妹讲述有关冬至的传说和习俗。

课程实施掠影

版块十三：季节课程之百变团花

《百变团花》课程设计

课程内容：

百变团花。

学情分析：

小学二年级的学生，注意力集中的时间较短，所以在教学方法的选择上应灵活多样，让学生在玩中体验、玩中创造，从而理解教材中比较抽象的内容。对于二年级的学生来说，行为习惯方面的培养依然是教育重点，这节课可以让他们得到这方面的培养。

课程设计理念：

春节是我国民间最隆重、最热闹的一个传统节日。我国古代曾经以农历的腊月月首为元旦，现在我国以公历1月1日为元旦。

元旦是世界多数国家统称的新年，是公历新年的第一天。我们引导学生回忆、观察生活，了解元旦的有关知识及各地不同的习俗，培养学生热爱民族文化的情感。通过欣赏儿歌、介绍资料、制作团花，体验学习生活的情趣，提高动手制作的技能，学会自己动手来装饰和美化生活，提高学生设计制作能力、合作学习能力和创造表现能力。

课程目标：

1. 引导学生了解有关公历新年元旦的文化，了解不同地区的不同习俗。

2. 教师在指导学生学习制作团花的过程中，有意识地培养学生感知、思考、探索和发散思维的能力以及提高学生动手的能力。

3. 通过欣赏与学习制作团花的方法，培养学生热爱生活的情感及对我国传统民族文化的兴趣。

课程重点、难点：

重点：培养学生热爱生活的情感及对我国传统民族文化的兴趣。

难点：团花纹样的设计。

课程评价实施：

1. 老师对学生的课堂表现及参与度即时评价。

2. 小组长对本组组员的各方面表现进行即时评价。

3. 小组长对各组推选出来的优秀作品进行评价。

课程准备：

师：剪刀、胶水、蜡光纸。

生：彩纸、剪刀、A4打印纸等。

教学过程：

第一课时

一、导入新课

小朋友们知道元旦是哪一天吗？

元旦是世界上多数国家统称的新年，是公历新年的第一天。元谓"首"，旦谓"日"。

二、新授

1．世界各国过元旦，风俗各不相同

德国：钱包放鱼鳞，爬高祈好运。

英国：争着打井水，深夜迎亲友。

法国：狂饮辞旧岁，风向卜年景。

巴西：登山寻幸福，见面揪耳朵。

…………

2．感受剪纸艺术的魅力

出示制作的范品（团花），今天我们一起来学习剪团花，以装饰我们的教室。

3．欣赏剪纸作品，研究剪纸作品的图案特点

（1）请你指出剪掉的部分是团花中的什么地方？

（2）你发现它们在外轮廓上有什么相同？

（3）你发现它们在外形和图案上有什么不同？

（4）团花可以由几层图案组成？

4．折纸的方法

3折、4折、5折，猜一猜，哪种折法剪得圆？

还有什么剪圆形的方法？

5．团花的制作过程

你能把团花的制作过程按顺序排列吗？

（1）播放团花制作视频1。

（2）播放团花制作视频2。

三、选择喜欢的团花剪剪看

引导小朋友制作自己设计的图案，剪出八面对称的剪纸作品。

四、作业展示、欣赏

教师出示剪纸作品，介绍不同剪纸作品的不同特点。

介绍剪纸的有关知识。

第二课时

一、回忆、欣赏、比较

1．请学生回忆上节课的内容，陈述制作团花的过程。

2．欣赏书上的剪纸作品。

二、学习团花里常见的剪纸图案

1．单独对称图案

教师示范单独对称图案的剪纸作品在对折以后起的变化，指导学生把对折的图案设计到对折以后的纸上。

2．常见的基本图案

月牙纹、毛毛纹、飞鸟纹、瓜子纹、三角纹、牛角纹、柳叶纹……

3．图案设计安排

设计图案要简洁明快，图案与图案之间要有连接点，图案组合后的外形要适合外轮廓的形状。

三、装裱剪纸作品

背面涂胶贴于底板上，底板色彩选择应与团花形成较强的对比。

四、作业讲评（欣赏、游戏）

1．展示学生制作的剪纸作品，欣赏、互赠。

2．欣赏用剪纸手法创作的儿童作品。

3．总结：剪纸作品的内容源于生活，鼓励学生热爱生活，发现生活中的美。

版块十四：季节课程之迎新年

《迎新年》课程设计

第一课时

课程目标：

1. 了解人们迎接新年的不同方式，学说新年问候语。

2. 感受新年的喜庆气氛，用自己的方式祝贺新年。

3. 向给予自己关心和鼓励的人们表示感谢，发展人际交往的能力。

课程重点：

了解人们迎接新年的不同方式，学说新年问候语。

教学过程：

一、激趣导入

教师播放歌曲《新年好》，激发学生兴趣。

教师提问：小朋友，我们刚刚听到的是什么歌曲？

教师导入：关于新年，你知道什么？

同桌之间相互说一说，举手汇报。

二、感受新年的气氛

播放有关新年的视频片段。

说一说：你从视频上看到了什么？想到了什么？

讨论：新年是哪一天？我们应该说些什么，做些什么？

你们喜欢过新年吗？为什么？

你们是怎样和家里人一起过年的？

其他地方的人们过新年和我们一样吗？

教师播放世界各地不同的新年场景，学生观看。

通过观看视频和讨论的方式，学生畅所欲言，充分锻炼学生的语言组织能力。

教师小结：不同的地方、不同的国家迎接新年的方式不同。

三、了解新年的相关知识

播放视频：关于新年的一些有趣小视频。

提问：谈谈自己所知道的新年知识。

各组梳理，派代表发言。

教师整理补充。

四、学唱《新年歌》

1．播放《新年歌》。

2．学生学唱。

3．分组比赛。

4．齐唱《新年歌》。

第二课时

课程目标：

1．积极参加庆祝元旦活动，体会节日的热闹氛围和美好。

2. 过程与方法：尝试制作贺卡。

3. 情感、态度与价值观：提升人际交往能力和设计制作能力。

课程重点：

尝试制作贺卡。

课程准备：

多媒体课件，制作贺卡的材料，安全剪刀。

教学过程：

一、激趣导入

1. 齐唱《新年歌》。

上一节课，我们学习了一首《新年歌》，还记得吗？大家一起来唱一唱。

2. 提问：说说新年你有什么愿望。

学生畅言，教师及时鼓励评价。

3. 卡片制作引入：在新的一年来临之际，我们要向关心、爱护、帮助我们的人说一声谢谢，表达我们的心意，也要向他们表达美好的祝福，那你希望用什么样的方式表达呢？

二、动手实践，制作卡片

1. 向亲人表达情感有很多方式，今天我们就用卡片的方式来表达。

为什么要制作贺卡？（可以互赠，向别人表示新年的祝福）

2. 动手制作。

怎样制作贺卡？

视频展示制作贺卡的方法。

教师可进行示范演示。

3．学生分组，分工制作贺卡，教师要随时进行指导。

4．师生评价。

三、赠送贺卡

1．请同学们说说自己制作的贺卡送给谁，为什么要送给他（她）。

2．互赠贺卡的时候，你要说些什么？

3．送完了贺卡，请你说说自己的感受吧。

主题三：传统课程

传统课程是二年级本学期新研发出来的单元主题。随着时代的发展，传统文化的重要性日益凸显。传统文化包含的内容非常广泛，我们分设如下的版块：传统游戏、传统节日、其他传统类主题等。本学期开展的传统课程内容有：传统游戏——跳房子、跳皮筋、扔沙包、跳绳；传统节日——中秋节、重阳节、冬至等；其他——象形字、会意字，折扇子，童话，故事新唱，华容道，陀螺探秘，传统人物故事，轴对称，豫见之美，健康饮食，乐器，成语故事。

版块一：传统课程之象形字、会意字

《象形字、会意字》课程设计

课程内容：

把美术的简笔画和汉字相结合，将语文、地方课程、道德与法治的内容有机结合，感受汉字的演变，感受中华文化的魅力。

学情分析：

学生从二年级开始慢慢接触字的种类，课本中开始涉及象形、会意的字，学生很感兴趣，但是又有些迷糊。

课程设计理念：

这个课程的设计是对象形、会意字的拓展、丰富，让学生能够更全面了解象形字、会意字，感受中国汉字的魅力。

课程目标：

1. 了解象形字、会意字的由来，认识更多的象形字、会意字，丰富学生的知识。

2. 通过本课的学习，培养学生的爱国意识，提高学生对中华汉字的学习兴趣。

课程评价实施：

根据学生课堂表现进行评价，在荣誉护照上体现出来。

教学过程：

一、导入

1. 同学们，你们喜欢我们的汉字吗？

2. 大家想一想：没有汉字的时候，人们怎么记事呢？

（结绳说——用绳子来标记发生的事情。八卦说——用八卦图来记事。契刻说——刻在石头上、木片上记事）

3. 我们的汉字特别了不起：中国文字是世界上最古老的文字之一，也是至今通行的世界上最古老的文字。从甲骨文发展到今天的汉字，已经有数千年的历史。

4. 汉字的演变：汉字经过了6000多年的变化，其演变过程是：甲骨文→金文→小篆→隶书→草书→楷书→行书。

二、象形字

在远古时代，还没有出现文字，为了记录事情，人们就用简单的图画来表示。这种用图画来记事的方法很有趣，可是时间一长，人们觉得这个方法并不方便，于是创造了既像画又像字的符号，我们把它们叫作象形字。

1. 认识一些常见的象形字。

2. 游戏一：看图写字。出示图片、甲骨文，让学生猜是什么字。

3. 游戏二：慧眼识字。让学生认识更多、稍微复杂的象形字。

4. 象形字在生活中的应用。

三、会意字

会意字是由两个或两个以上的独体字组合在一起，产生一个具有新意义的字。

学习、欣赏会意字。

四、走进语文课本，再次感受象形字和会意字

我们的语文课本上也有这些内容，请同学们打开语文书，一起看一看，进一步了解象形字和会意字。

五、欣赏视频：《汉字的演变》

六、学习一些简单事物的简笔画，让孩子进行比较，感受汉字的演变

象形字：日、月、山。

会意字：休、停、鸣。

七、总结

中国的汉字博大精深，你仔细去研究，就会发现它非常有趣！今天我们学习了象形字、会意字，今后，我们还会继续学习，让你更快认识更多的汉字。

课程实施掠影

版块二：传统课程之跳房子

《跳房子》课程设计

课程内容：

了解跳房子的历史，进行跳房子游戏活动。

学情分析：

1．二年级的学生年龄小，注意力不容易集中，活泼好动，兴趣难持久，依赖性强，自我约束能力差。

2．模仿能力强。教师要抓住他们的特点，采用多种形式来教学。

3．好奇心强。学生对体育活动有新鲜感，但对体育课的认识不足。小学二年级学生年龄一般都不足 10 岁，存在体质普遍较弱、运动技术较差的情况。

课程设计理念：

传统游戏历史悠久，源远流长，丰富多彩。它与民俗民风相融汇，与文化艺术相结合，富有浓郁的民族风格，又具有独特的地方特色，深受各民族人民喜爱，具有广泛的群众基础。传统体育游戏大多具有群众性、比赛性、对抗性，可使学生从中体验合作的力量、成功的喜悦，激发他们的学习兴趣。开展传统体育活动，充分体现了现代体育教育的理念，而且气氛活跃，有利于师生间情感交流，使学生在热情欢快的学习氛围中，深刻体验游戏的乐趣。

课程目标：

1. 了解跳房子的历史，知道跳房子游戏是我国的传统游戏之一。

2. 了解传统游戏的学生竞赛办法。

3. 通过本课的学习，增强学生热爱民族传统游戏的意识，从而加深学生的爱国意识。

教学过程：

一、搜集资料，课堂交流

课前同学们已经搜集了有关跳房子游戏的来龙去脉，请你们在小组内进行交流。请汇报一下你们小组搜集到的资料。

教师相机进行评价。

二、激发兴趣，活动身体

（教师带学生来到室外）

教师运用具有想象力的语言引导学生做热身活动，通过小跑、高人走、矮人走、双脚跳、单脚跳等动作活动孩子的下肢关节。

教师通过并脚跳、分脚跳、左右开合跳、前后交叉跳等动作引导学生做跳房子的热身活动。

三、引导探索，开展游戏

玩站格子游戏，学生分成四路纵队。

让四队学生站到格子里依次走过，一人一格不能碰壁，让学生自己尝试跳房子。教师要求：必须跳过去，不能碰壁。练习多种步伐的跳房子，例如分脚跳、并脚跳、侧身跳、单脚跳等。出现问题及时纠正，并再次进行练习。放松游戏,恢复身体。跟着音乐的节拍放松腿部关节,揉捏腿部肌肉。

四、活动体验,感悟收获

(教师带学生到教室)

我们一起进行了跳房子游戏,你有什么收获?请在小组内进行交流。

请拿出笔将我们在运动场上的跳房子游戏画一画,并用一句简短的话写出你的感受。

课程实施掠影

版块三：传统课程之老师，我们爱您

《老师，我们爱您》课程设计

课程内容：

通过对教师节由来的了解，孩子们可以体会教师在工作中的辛苦。在教师节来临之际，你准备用什么方式感谢老师的教育之恩？

学情分析：

刚升入二年级，学生都特别天真可爱，听到感恩教师的话语，都会特别激动，他们肯定有许多自己的想法，想与大家交流。

课程设计理念：

在教师节来临之际，我们不仅让孩子知道这一天我们要去感恩老师，更要让孩子知道我国什么时候确立了教师节，以及名人感恩老师的故事，要把感恩老师的这颗种子埋在孩子们的心里，从而激励他们好好学习，天天向上。

课程目标：

1. 让学生掌握有关教师节的知识。
2. 了解我们的民族是一个尊师重教的民族。
3. 进一步树立尊敬老师的思想，以实际行动去庆祝教师节。

课程评价实施：

1. 老师根据学生的课堂表现进行评价，奖励红花。

2. 学生选出自己小组积极发言的同学，老师进行红花奖励。

3. 红花最后粘贴在自己的荣誉护照上。

教学过程：

一、导入

1. 同学们，这节课老师先请大家猜一个谜语：

秋高气爽节日到，落叶翩翩来祝贺。

校园处处喜洋洋，辛勤园丁好快乐。

打一节日名称（谜底：教师节）

2. 很好，同学们都猜得很正确，那么今天我们这节班会课的内容就是"庆祝教师节"。

二、教师节的来历

教师节这个节日我们并不陌生，你知道教师节的来历吗？现在听老师来讲一讲。

1931年5月，由教育家爽秋、程其保等发起，拟定每年6月6日为教师节。

1939年，当时的国民政府教育部决定以中国教育家孔子的诞辰8月27日为教师节。

1951年，中华人民共和国教育部、中华全国总工会共同商定，将教师节与"五一"国际劳动节合并在一起。

1985年1月21日，第六届全国人大常委会第九次会议正式通过国务院关于设立教师节的议案，并决定9月10日为我国的教师节。

三、体会教师工作的辛苦

1. 同学们，我们每天都在学校里上课，接触最多的就是老师，你们了解老师的工作吗？谁来讲讲？（请几位同学回答）

2. 老师的工作很辛苦，在教师节来临之际，我们要庆祝老师的节日。

四、讲故事

孩子们，尊师重教是我们中华民族的优秀传统，历来很多知名人士都非常尊敬他们的老师。古代没有教师节，但是有很多尊师故事广为流传。（幻灯展示）

1. 北宋学者杨时尊师好学，一次他和朋友游酢一块儿去洛阳拜见老师程颐。当时正值三九严寒，天空飘着雪花，来到老师门前，见老师在打瞌睡，他们不愿打扰，就静静地肃立在门前的雪地里。程颐醒来看到他们，连忙让进厅堂，这时门外的积雪已有一尺多厚。这就是著名的"程门立雪"的故事。

2. 1937年，当徐特立六十寿辰之际，毛泽东特意写贺信祝寿。他在信的开头写道："你是我二十年前的先生，你现在仍然是我的先生，你将来必定还是我的先生。"他还号召全党向徐老学习。

五、感恩教师节

我们都知道，9月10日是教师节，大家一定在想送一件礼物给老师，有的想送老师红花，有的想送老师贺卡。那什么是老师最称心的礼物呢？出示故事梗概：一个小朋友送工艺品；另一个小朋友是后进生，他把作业写得很整齐，把错的地方改正确，并在纸上写上自己的想法和感谢。

讨论：什么是老师最称心的礼物？（小朋友讨论，发表意见）

小朋友们说得好，老师最称心的礼物就是能天天看到你们的进步，看到你们一天天健康成长,看到你们都取得好成绩,你们能天天送我这件最称心的礼物吗?

1．上课习惯训练。

预备铃响了,我们该怎么做?

好,老师现在就看看你们是怎样送这件礼物的。(表扬坐姿好的小朋友,并做示范)

2．画心中的老师,并写上一句祝福的话;也可以制作一张贺卡,写上你对老师说的话。

六、总结

孩子们,今天下午我们一起走近教师节,了解教师节,听了关于教师节的故事,更重要的是大家懂得了尊师重教的道理,希望大家今后努力学习,以优异的成绩来回报老师辛勤的劳动。

版块四：传统课程之跳皮筋

《跳皮筋》课程设计

课程内容：

结合童谣连续有节奏地跳皮筋。

学情分析：

二年级的学生好奇、好动、活泼，通过前一年的学习掌握了一些课堂常规的知识，但是很多学生掌握得不好，自制力较弱，运动技能水平也比较低。因此，教师在教学中要利用游戏、语言激励、比赛、展示等方法不断鼓舞学生进步。

课程设计理念：

利用童谣贯穿整个教学过程。首先，利用"马兰花"这一游戏开始导入本次课程，让学生边学童谣边做热身活动，充分调动学生的学习兴趣，从而对本次课程的内容充满期待。然后，在进行主教材教学时，利用"闯关"进行教学，让学生在练习的过程中不断实现小目标，从而充分激励学生练习的自信心。最后，学生分小组边唱童谣边展示跳皮筋动作。

课程目标：

1. 了解跳皮筋的历史，知道跳皮筋游戏是我国的传统游戏之一。

2. 学会3~4种定点跳皮筋的方法，初步学习双脚连续跳皮筋动作，部分学生能有节奏地完成双脚交替跳动作。

3. 学会并接受游戏中的合作与分工，培养初步的合作意识。

4. 通过本课的学习，增强孩子热爱民族传统游戏的意识，从而增强孩子的爱国意识。

教学过程：

一、明确要求，课堂交流

课堂上教师向学生介绍跳皮筋的历史及相关资料。

教师相机进行评价。

二、热身活动，激发兴趣

带学生到室外，师生问好。

小游戏：马兰花开。（嘀嘀燕子嘀嘀嘀，马兰开花二十一，二八二五六，二八二五七，二八二九三十一，三八三五六，三八三五七，三八三九四十一，四八四五六，四八四五七，四八四九五十一，五八五五六，五八五五七，五八五九六十一，六八六五六，六八六五七，六八六九七十一，七八七五六，七八七五七，七八七九八十一，八八八五六，八八八五七，八八八九九十一，九八九五六，九八九五七，九八九九一百一）

三、实地练习，掌握技能

同学们，下面老师设置了三个关口，看看你们能闯过几关。

第一关：带领学生复习各种基本的跳皮筋动作，如双脚跳、单脚跳……

教师示范动作，重点学习点跳动作，要求学生模仿练习。

第二关：带领学生结合童谣《马兰花》，进行原地模仿练习。

组织学生进行尝试练习，教师巡视指导，同时指导学生根据童谣节奏进行练习。

学生进行展示，教师语言激励。提问：你们敢不敢用皮筋来尝试一下？

教师先进行示范，邀请部分同学一起参与。

分小组进行尝试练习，要求同伴之间轮流撑皮筋。

教师巡视指导，并个别帮助。

四、拓展提高，发展能力

刚才你们几关已经通过！但是老师今天一定要想个办法难住你们！

布置练习任务，增加皮筋的高度，要求有能力的小组可以创编其他动作。

组织各小组进行展演评比活动。

五、放松练习，恢复身心

带领学生边说童谣边放松。

组织学生说一说对本次课的感受，教师总结。

六、小结提升

(带学生到室内)

谈一谈你们的收获，小组交流。

课程实施掠影

版块五：传统课程之小扇子

《小扇子》课程设计

课程内容：

制作小扇子。

学情分析：

低年级学生活泼可爱，思维独特，喜欢按照自己的想法自由地创作，好奇心强，爱表现自己，但动手能力较差。本课以现实生活中形象多变的扇子为题材，更好地激发学生的表现欲望和独创思维，让学生能够自信、大胆、自由地表达想法与感情。

课程设计理念：

本节课用猜谜语的形式引出课题，引导学生观察生活中、记忆中扇子的各种形象，并能用简单的方法制作出来。教学中要让学生了解有关扇子的文化、历史、种类以及不同材料的扇子等。

课程目标：

1. 了解有关扇子的文化、种类及欣赏价值，尝试着采用多种材料来制作小扇子，让学生注意观察生活，进而创造出形状各异、图案多样的小扇子。

2．能用各种不同的制作方法，制作出材料不同、外形各异、美观的小扇子。作品体现出实用性、观赏性。

3．在学习和了解有关扇子的文化、种类及欣赏价值中，激发学生热爱中国传统艺术的情感及对生活的热爱，提高学生的审美情趣。

课程重点：

初步了解扇子文化，学习小扇子的设计与制作，体验做扇子的乐趣。

课程难点：

小扇子的构思设计，不同材料的选择利用，扇形的创新与装饰。

课程评价实施：

1．教师对学生的课堂表现及参与度及时评价。

2．小组互评。

教学过程：

一、谜语导入新课

1．谜语导入。

　　　　　　一件东西生得怪，轻薄像片小云彩。

　　　　　　烈日炎炎不用愁，摇来清风人人爱。

（打一生活用品。谜底：小扇子）教师板书课题。

2．导入新课。

扇子对我们来说一点都不陌生，谁能告诉大家你所见到和知道的有哪些扇子？爸爸用过折扇、外婆用过蒲扇、小姐姐用过圆圆的塑料扇、《西游记》里的孙悟空还借过铁扇公主的芭蕉扇、有的小朋友还自己叠过纸扇子……

3．欣赏课件中的扇子。

我们中国是扇子的发源地，几千年来有各种各样的扇子。扇子有着非常深厚的文化底蕴，有很多鲜为人知的知识。大家想不想知道最初的扇子是什么样的？还有哪些珍奇特殊的扇子？

今天就让我们一起走进扇子的世界，了解扇子并自己动手制作一把小扇子。

二、讲授新课

1．扇子的文化。

欣赏视频，了解以下内容。

(1) 扇子的历史起源。

扇子起源于中国。远古时代，我们的祖先在烈日炎炎的夏季劳作，随手用植物叶或禽羽简单加工用以蔽日挡风，这就是扇子的起源。

(2) 扇子的发展过程。

我国的扇子已经有3000多年的历史了。早在商代，就出现了在马车上蔽日遮风的"扇汗"。扇汗类似今天的雨伞，后来演变成"华盖"，以及变为长柄的大扇，称为"障扇"，作为帝王和高官的仪仗队的装饰，其装饰性非常强。现在我们看到的就是不同样式的"障扇"。

到了西汉以后，扇子广泛被用来纳凉，多由禽羽雕翎制成，故称"羽扇"，多为贵族使用。

东汉以后扇子开始在老百姓中流行，有团扇，也称"合欢扇"，形状如一轮明月，以扇柄为中轴，左右对称。

北宋时期，经过改革，出现携带方便的折扇，也叫"聚头扇""撒扇""聚骨扇"。同时，扇面画了很多漂亮的图案，有花鸟、人物、山水等。

(3) 扇子的材质。

随着时代的发展，我们今天可以用来制作扇子的材料越来越多，有纸质的、塑料的、丝绸的、木制的、禽羽雕翎的等。

(4) 扇子的分类。

几千年的改革和完善，虽然发展出了几百种扇子，但大致归纳为两大类：一类是屏扇，一类是折扇。

(5) 扇子的作用。

扇子不但有很高的审美价值，还有丰富的文化内涵。许多艺术家把自己的画作反映在扇面上，这样就出现了扇面画。

我们还经常看到扇子舞。在一些影视作品中，扇子也起到了重要作用，比如三国时著名人物诸葛亮，他轻摇羽毛扇，表现出胸有成竹的样子。

2．扇子的构成。

不管扇子怎么变化，它的结构是一样的。扇子可以分为几部分？

(扇面、扇柄、扇架、扇坠)

我们在制作时可以忽略扇架、扇坠。

3．制作方法。

欣赏视频，了解扇子的制作方法：

(1) 团扇的制作方法；(2) 折扇的制作方法；(3) 其他扇子的制作方法。

4．教师示范。

三、学生实践

1．作业要求。

这几种方法大家是不是都学会了？想不想自己亲手做一面扇子呀？想把扇子做好需要独特的创意和有趣的材料。请同学们合作，选择喜欢的材料和方法，设计制作一把小扇子。使用剪刀时注意安全，保持桌面、地面卫生。

2．学生开始制作，教师巡回指导，及时肯定有创意的作品和学生。

(有的小组做得又好又快，老师要及时表扬。在制作期间允许学生下来参观其他组的制作，可以互相借鉴和促进)

四、作品展示和评价

1. 请学生展示作品并简单说一说自己作品的创意、制作材料和方法。

2. 对其他同学制作的扇子的评价。

3. 教师根据作品实情评价。

4. 教师小结。

随着时代的发展，虽然我们现在使用了空调和电风扇，但是通过这节课的学习我们感受到了扇子带给我们不同的美，以后我们要继承祖国传承下来的优秀文化，把我们的扇文化推向世界，好吗？

五、拓展阶段

发放爱心卡片。你们想把这漂亮的小扇子送给谁？请在这张卡片上写上温馨的话语一起送给他（她）吧！

课程实施掠影

版块六：传统课程之国庆节

《国庆节》课程设计

课程内容：

1840年以来我国的发展历程。

学情分析：

二年级学生已经有了一定的"祖国"意识，但是受年龄和认知的限制，对我国发展的历程并不了解。

课程设计理念：

通过简单梳理1840年以来我国发展的历程，让学生在体会我国由弱变强的过程中，产生爱国之情。同时，结合时事，让学生关注国家发展动态。

课程目标：

简单了解1840年以来我国发展的历程，体会当今社会发展的强大，激发爱国之情。

课程评价实施：

学生在课堂上的发言以及学生做成的绘画作品。

教学过程：

一、问题导入

再过几天，我们就会迎来一个重大的节日，大家都知道是什么节日吗？（国庆节）那你们知道新中国是什么时候成立的吗？是的，新中国成立于1949年的10月1日，每年的10月1日就是国庆节。那你们了解我们国家近代的历史吗？

学生自由回答。

二、活动感悟

1. 祖国妈妈的名字我知道：

（1）课件出示中国地图：你知道我们祖国妈妈的名字吗？

中国——我们伟大祖国的名字！但我们的祖国母亲多灾多难，特别是100多年前的中国，祖国母亲遭受欺负，我们的土地被外国人霸占，我们的很多老百姓被杀，人们简直难以生活下去。在中国共产党的领导下，中国人民经过多年的艰苦奋斗，终于赶走了侵略者，推翻了反动派的统治，取得了革命的胜利，建立了新中国！

（2）点击课件，中国地图上出现"中华人民共和国"字样。

师：她的全称是"中华人民共和国"。谁来呼唤一下祖国妈妈的名字？（指名读）

（3）这是我们所有中国人的妈妈，让我们一起来大声地呼唤一下我们祖国妈妈的名字。（老师带领学生齐读）

2. 祖国妈妈的生日我知道：

（1）你知道我们祖国妈妈哪一天诞生的吗？

根据学生回答，在课件上点击出示"1949年10月1日"。

(2) 这是一个全中国人民永远都不会忘记的日子，让我们观看那神圣的一刻。

3．追溯历史，感受庄严的"开国大典"：

(1) 出示"开国大典"系列图片，你看到了什么？

A：（出示北京天安门广场的图片）这是哪里？（北京、天安门城楼）

师：这是咱们伟大祖国的首都，天安门城楼是毛泽东爷爷宣布新中国成立的地方。

B：你认识画面中的人吗？

带领学生逐一认识参加开国大典的伟人，毛主席、周总理、朱总司令等。

(2) 播放录像《开国大典》片段。

请小朋友们仔细观看，待会儿告诉大家，你知道了什么？

(3) 请学生说说观看录像以后的感受。

师：小朋友们，那一天广场上的人啊，差不多把嗓子都喊哑了，把手掌都拍麻了，还觉得不能够表达自己心里的欢喜和激动呢。

(4) 小结：从那一天起，一个崭新的中国诞生了，人民翻身做了主人，都过上了好日子。为了纪念这个伟大的日子，从此以后，每年10月1日被定为国庆节（板书：国庆节），普天同庆。让我们一起记住这个伟大的日子：1949年10月1日。

4．祖国各地同庆祝：

(1) 每一年的10月1日，各地的祖国儿女都会以不同的方式给祖国妈妈过生日。你知道人们是怎么庆祝国庆节的吗？请小朋友们看看书本26页上的图片。

(2) 学生看阅兵仪式视频后交流。

老师小结：这是 1999 年 10 月 1 日在首都北京举行的。由一万一千名解放军组成，向全世界展示了我们祖国的军队力量。有了这样的部队保卫我们，祖国妈妈就再也不用担心了。

三、课后延伸

今天，小朋友们了解了国庆节的来历，看到了国庆节时隆重热闹的庆祝场面。下一节课我们为祖国妈妈举行一个生日庆祝会，你想怎样来庆祝国庆节，为祖国妈妈献上一份生日礼物呢？利用课余时间好好准备一下吧。

课程实施掠影

版块七：传统课程之中秋节

《中秋节》课程设计

课程内容：

中秋节。

课程目标：

1. 中秋节是中国的传统节日，通过中秋节让学生初步理解中国传统节日中所蕴含的文化内核，真正了解中国传统节日，了解中国传统文化。

2. 介绍中秋节的来历，了解中国各地过中秋的风俗。

3. 增强学生爱父母、爱家乡、爱祖国的感情，让节日真正给我们带来快乐与幸福。

课程准备：

图画、月饼、多媒体课件。

教学过程：

第一课时

一、中秋节的来历和风俗

中秋节是中国的传统节日。国家把这个节日定为法定节日，休息一天。

今天让我们一起走进中秋节，感受中秋佳节。

1. 中秋节的由来。

(1) 播放课件：同学们，在天气晴朗的夜晚，天空上有什么？月亮像什么？（有月亮。月亮像玉盘、像圆饼）

(2) 出示圆形月饼，让学生比较。

师：月亮什么时候最圆？（农历每个月的十五日左右）

(3) 细说中秋节的由来。

师：谁知道中秋节的来历？

(4) 小结：同学们说得都很好，我们来看看中秋节到底怎么来的。（播放课件）

2. 中秋节的传说与民间故事。

(1) 师：中秋节在我们中国人眼里，可是非常重要的佳节。"月圆人团圆"，这是一个温馨和谐、极富诗情画意的节日。有关中秋节最有名的传说故事就是嫦娥奔月了。

谁能来讲讲有关中秋节的传说？（学生可能会讲嫦娥奔月、后羿射日……）

(2) 视频播放嫦娥奔月、吴刚伐桂、玉兔捣药等动画小视频。

小结：看来中秋节是一个最有人情味、最具诗情画意的节日。

3. 介绍中秋节的习俗。

(1) 师：好，听了我给你们讲的故事，你们一定意犹未尽吧。现在我们一起来了解一下中秋节有哪些有趣的传统习俗。（课件展示）

(2) 甜蜜的习俗——吃月饼。中秋节为什么吃月饼呢？

（课件介绍月饼的由来）

二、中秋诗词佳句知多少

有人说,每逢佳节倍思亲,尤其是一轮明月高高挂起的时候,诗人会用诗句来表达对家乡、对亲人的思念。

(1) 出示图片。

师:我们来看这幅画,你们脑海中有没有最佳的诗句来配这幅画中的情景?(李白的《静夜思》)同学们齐背《静夜思》。

(2) 师:你们知道"但愿人长久,千里共婵娟"这句话出自哪里吗?很久以前丙辰中秋的一个夜晚,大文豪苏东坡先生写下了著名的《水调歌头·明月几时有》,"但愿人长久,千里共婵娟"就出自这首词。今天,我们就一起来欣赏这首绝妙好词。

(3) 有感情朗读:苏轼的《水调歌头·明月几时有》。

(4) 学唱歌曲《明月几时有》。

(5) 搜集关于月亮的诗句,下一节课分享。

第二课时

一、回忆复习歌曲《明月几时有》

上节课我们学习了《明月几时有》这首歌曲,那么现在我们一起来唱一下。(学生唱)

我国的诗人大多是忧国忧民的,有些是命运坎坷的,他们经常流浪在外,客居他乡,思乡成了他们生活中重要的一部分,因此有了许多以思念故乡为题材的诗作。你还知道哪些呢?(学生说,老师打开课件,学生欣赏诗句)

二、中秋佳节话月饼

1. 品尝月饼，感受月饼的香甜。

大家每年是怎样过中秋节的呢？

中秋节，为什么要和家人一起吃月饼？往年你和谁一起吃月饼？（吃月饼表示团圆；和家里人一起吃，还和好朋友一起吃）

你吃的月饼是买的呢，还是别人送的？谁送的？

咱们班级也是一个大家庭，我们都是这个家庭的成员。你们愿不愿意和全班同学一起过这个中秋节？

（1）分月饼。（跟同小组的同学一起分享你带来的月饼和水果）

（2）吃月饼。（大家一起吃月饼，体验班级大家庭的温暖和团圆）

2. 画月饼。

（1）你能描述一下月饼是什么样子的吗？

月饼的外形——圆，象征阖家团圆。饼中有馅，饼面有花纹。（欣赏月饼图片若干张）

师：展示月饼实物，并简单介绍圆形设计的格式。（对称、均衡）

（2）动动手，设计一个别致、精美的月饼图案。

（3）学生作品欣赏。由学生自己讲解设计意图。

三、老师总结

同学们，了解了那么多关于中秋节的知识，又为今年的中秋节画了一个月饼的图案，每个人心中都有个共同的愿望，那就是：花常开！月常圆！人常在！

课程实施掠影

主题三：传统课程

版块八：传统课程之看童话

《看童话》课程设计

课程内容：

看童话。

学情分析：

低年级的小朋友通过看图画讲故事来锻炼想象力。

课程设计理念：

在细读文本、欣赏图画的基础上，让绘本成为载体，让学生联系实际的生活经验来理解故事的内容。

课程目标：

1. 在老师指导下阅读绘本，了解故事内容，通过绘本阅读激发低年级学生的课外阅读兴趣，培养孩子仔细阅读的习惯。

2. 通过指导，教给学生读绘本的方法，让学生走进故事情节，读懂故事内容。

3. 通过阅读故事，让学生感悟"施比受更快乐"。

课程重点：

在老师指导下阅读绘本，培养孩子仔细阅读的习惯。

课程评价实施：

1．教师对学生的课堂表现及参与度及时评价。

2．小组互评。

课程准备：

课件：童话故事《呼噜，呼噜，哞》《咔嗒，咔嗒，哞》《笨拙的螃蟹》《袋熊日记》《胆小的老鼠》。

教学过程：

一、导入新课

老师故事导入——鸭子和农场里的好朋友们齐心协力，要拿到超级才艺大赛的冠军，因为冠军的大奖是一架蹦床。奶牛想表演歌曲，绵羊也想表演歌曲，小猪想表演舞蹈，而鸭子呢？让我们一起来看故事吧。

二、讲授新课

(一)《呼噜，呼噜，哞》

1．看故事。

2．老师讲绘本故事。

今天我们一起读的这本书是由朵琳·克罗宁所写、贝西·赖文所画的"嘻哈农场"系列之一，内容正如封面上所写的那样"嘻嘻哈哈闹翻天，农场笑料爆不完"。

农场主不乐翁似乎总是对他的调皮的农场动物们不放心，天天守在谷仓外偷听那些门后传来的声音。有一天，鸭子看到不乐翁的报纸上有一条消息——举办"超级才艺大赢家"的比赛，于是决定和朋友们齐心协力一起赢回蹦床。当然这一切不能让不乐翁知道。不乐翁觉得他的动物们很不对劲，但是留心观察又没有发现蛛丝马迹，在谷仓外听到的也和往常一样：

"呼噜，呼噜，哞……呼叻，呼叻，咩……咕咔，咕咔，嘎……"其实谷仓里面，鸭子和奶牛、绵羊、小猪一起排练节目呢，一切都在秘密行动之中。赶集的日子到了，"鸭子走过来又走过去，小猪们只顾梳妆打扮，奶牛们正品尝着柠檬茶"，这让不乐翁很不放心，于是带着他们一起去集贸市场，这正合动物们的心意。不乐翁一走远，动物们就马上飞奔到"超级才艺大赢家"那里去报名比赛。奶牛们和绵羊们都表现得很好，但是小猪们在表演的时候却睡着了，眼看蹦床马上就没了，这时候鸭子冲出来跳上舞台唱歌，他的表演赢得了评委们的喝彩。这里并没有说比赛结果怎么样，当不乐翁回到卡车边的时候，动物们一切照旧。

农场主不乐翁就像父母，以鸭子为首的动物们就像顽皮的孩子们，父母总是很希望孩子们每天都很乖。当孩子们慢慢地长大，渐渐有了自己的想法和主张，为了达到自己的小目的，会经常偷偷去做自己的事情。如果父母能时刻关注孩子们的想法，和孩子们建立良好的亲子关系的话，那会避免很多问题。

3. 请学生尝试讲述绘本故事。

（二）《咔嗒，咔嗒，哞》

1. 看故事。

2. 老师讲绘本故事。

这是一本足以让人爱上阅读的绘本，是一本翻来覆去看多少遍都让人感到趣味无穷的绘本，因为它的幽默，因为它的智慧，因为它的妙趣横生。

这是什么声音？哦，是一台旧打字机发出的声音和牛发出的声音，这两种声音为什么会联系在一起呢？牛会打字？

记得那是一个初秋的夜晚，我约了一位朋友，她是一个大型企业的高管，有一个上初中的儿子。我跟她讲绘本，讲绘本的有趣和有用，分手时我送了她一本书。回家大约一个小时后，她来电话了。她在电话里激动地说：《咔嗒，咔嗒，哞》太好看了！她看后爆笑，叫来儿子看，然后母子俩一起爆笑，一起聊了又聊，一起看了又看，一天的紧张疲劳在有节奏的"咔嗒，咔嗒，哞！咔嗒，咔嗒，哞！咔嗒，咔嗒，哞！"中荡然无存。更有意思的是，过了几天她又打来电话，说是好几次与儿子一遍又一遍地"复习"《咔嗒，咔嗒，哞》，头天晚上儿子一边"咔嗒，咔嗒，哞！咔嗒，咔嗒，哞！"，一边递上一张字条："亲爱的老妈：一到比赛我就特别期待您的目光。明天要进行击剑比赛，请给我送来鼓励的话语吧。您的儿子。"

3．请学生尝试讲述绘本故事。

三、学生实践

学生自主阅读绘本故事《笨拙的螃蟹》《袋熊日记》《胆小的老鼠》，同学交流互读。

四、拓展

学生交流看绘本的感受和收获。

版块九：传统课程之听童话《彼得与狼》

《听童话〈彼得与狼〉》课程设计

课程目标：

1. 听赏交响童话《彼得与狼》，能分辨不同乐器的音色，感受不同乐器塑造的音乐形象。

2. 在听赏过程中，了解作曲家如何运用各种音乐要素和有特点的手段来表现各个角色，提高听赏能力。

3. 能愉快地参与"用音乐讲故事"的实践活动，乐于倾听，主动表现。

课程重点：

能分辨不同乐器的音色，感受不同乐器塑造的音乐形象。

课程难点：

了解作曲家运用各种音乐要素和有特点的手段来表现各个角色。

教学过程：

一、铺垫导入

同学们，上节课我们听了童话故事《彼得与狼》，你们还记得它是由谁创作的吗？我们来回忆一下故事当中都有哪些角色。

这节课，我们将再次重温这个童话故事，听听作曲家是用哪些乐器和哪些有特点的手段来塑造这些角色的。

二、新课教学

(一) 认识各种乐器所代表的角色

1．快乐活泼的彼得。

(1) 听音乐，分析彼得的性格。

(2) 听音乐，认识"弦乐组"。

(3) 老师指挥，跟着音乐再次哼唱。

2．伶牙俐齿的小鸟。

(1) 听音乐，感受音色。

(2) 听音乐，认识"长笛"。

3．悠闲自在的鸭子。

(1) 根据音乐节拍感受角色特点。

(2) 动作表现角色特点。

(3) 根据音色特点认识"双簧管"。

4．蹑手蹑脚的猫。

(1) 动作设计表现猫的特点。

(2) 根据音色特点认识"单簧管"。

5．唠唠叨叨的爷爷。

(1) 听音乐，想象角色特点。

(2) 认识"大管"，拓展思维。

6．凶险恶毒的狼。

(1) 听音乐，说感受。

(2) 认识"圆号"，感受不和谐和弦的效果。

7. 猎人的枪声。

(1) 听音乐，感受音乐的力度、时值。

(2) 观看演奏视频，认识"定音鼓"。

(二) 听辨各种乐器所代表的角色

1. 学生听赏没有画面的音乐进行选择。

2. 学生观赏带有画面的音乐加深印象。

三、小结

作曲家普罗科菲耶夫就是采用不同乐器特有的音色和速度、力度、节奏等音乐要素的变化来塑造不同角色的。你们看，如果他平时没有认真地去观察身边的事物，亲身去体验生活，能创作出这么优秀的作品吗？老师希望大家通过这节课的学习，在今后的学习中也能细心地观察生活，多听、多看、多想，学习作曲家这种可贵的创作精神，好吗？

版块十：传统课程之演童话

《演童话》课程设计

课程内容：

童话表演。

学情分析：

童话，一直都是儿童最喜爱的一种文学体裁。它的语言通俗易懂、充满童趣，符合儿童的心理特点和需要。童话故事里，不仅有离奇的情节，其中所蕴含的道理和生活经验也是极其丰富的，真善美通常都能战胜假恶丑，这就为我们的孩子传递了一种正能量，让孩子感受到，无论遇到了多么可怕糟糕的事情，只要一直向往着光明，心存善念，最终所有困难都会被美好和幸福所取代。

课程目标：

1. 通过本次主题活动让学生深刻体会童话中的真善美。
2. 通过演童话，进一步培养孩子爱读书的好习惯。

课程评价实施：

1. 老师根据学生的课堂表现进行评价，奖励红花。
2. 学生选出自己小组表演最好的同学，老师进行红花奖励。

3. 红花最后粘贴在自己的荣誉护照上。

教学过程：

一、导入

同学们，本周的主题课程是一起读童话、看童话、听童话，你们从中知道了好多的童话故事，对吗？今天咱们就来演一演大家喜欢的童话故事。

二、分组准备

老师先给学生5分钟时间，让他们把故事温习一遍。

三、演童话

1. 学生轮流上台演童话。

《小鹰学飞》剧本

人物：老鹰、小鹰、其他鹰若干

时间：一天清早

地点：山脚下

场景一：

（老鹰、小鹰上。老鹰叫醒睡梦中的小鹰）：孩子，醒醒，天快亮了！赶紧起来跟我去学飞行吧！

（小鹰揉揉眼睛起床）：好吧，妈妈。

场景二：

（老鹰、小鹰来到一棵大树下，小鹰展翅飞到了大树的上面，它高兴地喊起来）：妈妈，看，我已经会飞啦！

（老鹰摇摇头）：飞得只比大树高，还不算会飞。

（小鹰又从大树上飞到了大山的上空，它又高兴地喊起来）：妈妈，这次我真的会飞啦！

（老鹰又摇摇头）：飞得只比大山高，还不算会飞。

（小鹰只好鼓起劲又拼命向上飞。飞呀，飞呀，大树看不见了，大山也变得矮小了。小鹰急促地喘着气，对老鹰说）：妈妈，现在……我总算……会飞了吧？

（老鹰向头顶上指了指）：孩子，你往上看！

（小鹰抬头向上看，只见白云上面有几只鹰在盘旋）：妈妈，看来我还要继续努力啊！（说着又向更高的地方飞去）

《青蛙看海》剧本

人物：青蛙、苍鹰、松鼠

时间：一天清早

地点：山脚下

场景一：

青蛙上场（蹲在湖边的荷叶上想心事）：呱呱，这湖天天看，真没意思，听说大海的风景很美，好想去看看啊！

场景二：

（空中飞过的苍鹰听见了青蛙的话，停到青蛙身边）：你想看大海？这还不容易！喏，只要登上那座山，就能看到大海了。

天哪，这么高的山！(青蛙吸了口凉气)：我没有一双像你一样有力的翅膀，也没有四条善跑的长腿，怎么上得去呢？

是啊，这山是太高了。不过你不登上山顶，怎么能看到大海呢？(苍鹰说完就展翅飞走了)

场景三：

(青蛙很失望，一直在叹气)

(一只松鼠跳到它面前)：你怎么了？

(青蛙无奈地说)：我想看看大海，可是这山太高了，我上不去。

这石阶你能跳上去吗？(松鼠说着，跳上了一个台阶)

这有什么难的！(青蛙很自信，说着也跟着跳了上去)

再跳一下！(松鼠说)

(青蛙又上了一个台阶)

好！你一定能看到大海。(松鼠鼓励青蛙说)

(青蛙就这样跟着松鼠一级一级地往上跳，累了在草丛中歇一会儿，渴了喝点山泉水。不知不觉，它们已经跳完了石阶，到达了山顶)

(啊！大海就展现在它们眼前！青蛙又蹦又跳)啊！我看见大海啦！我看见大海啦！

《狼和小羊》剧本

人物：狼、小羊

时间：一天下午

地点：小溪边

场景一：

小羊上。（小羊在小溪边喝水，《喜羊羊与灰太狼》主题曲响起）

场景二：

狼上：嗨，大家好！我是大灰狼，天底下最漂亮的狼！（摆出臭美的动作，然后揉揉肚子）可是，漂亮能填饱肚子吗？再漂亮的狼也得先填饱肚子呀！（东张西望找吃的）

场景三：

（狼发现小羊）：羊！好肥好肥的一只羊！（眼珠咕噜一转，计上心来）：小羊，你把我喝的水弄脏了，你安的什么心?!

（小羊看看狼，又看看自己）：亲爱的狼先生，我怎么会把您喝的水弄脏呢？您在上游，我在下游，水是不会倒流的呀！

（狼发现一计不成，又眼珠咕噜一转）：哦，就算是这样吧，你总是个坏家伙，我听说去年你总是在背地里骂我，是不是？

（小羊一脸惊讶）：啊，这是不可能的！去年我还没出生呢！怎么会骂你呢？

（两计不成，大灰狼有些不耐烦了）：骂我的不是你，就是你爸爸，或是你爷爷，或是你爷爷的爷爷，再不就是你亲戚。反正都一样！（边说边朝小羊身上扑了过去）

（小羊一边跑一遍喊）：救命呀！救命呀！大灰狼要吃我啦！

（狼追上小羊，把小羊扑倒了……）

《狐狸和乌鸦》剧本

人物：乌鸦、狐狸、乌鸦的孩子们

时间：一天中午

地点：大树旁

场景一：

（乌鸦窝里）乌鸦1：我想吃大肥肉！乌鸦2：我做梦都想吃肉！乌鸦3：快闭嘴，你们听，好像是妈妈的声音。

（乌鸦妈妈飞到鸟窝旁的树枝上）：孩子们，妈妈把大肥肉带回来啦！

场景二：

（狐狸听见乌鸦妈妈的话，伸伸懒腰从洞里钻出来）：好香啊，我要想个办法，把这块肉骗到我的嘴里。（狐狸表现出自信、得意的神情）

（狐狸眼珠咕噜一转，有啦！）：亲爱的乌鸦，你好吗？

（乌鸦妈妈低头看了狐狸一眼，没有吭声）

（狐狸见一计不成，又满脸堆笑，献媚）：亲爱的乌鸦，你的孩子好吗？

（乌鸦妈妈满脸不屑，依旧不作声）

（狐狸摇摇尾巴继续献媚）：亲爱的乌鸦，你的羽毛真漂亮，麻雀比起你来，可就差多了。你的嗓子真好，谁都爱听你唱歌，你就唱几句吧！

（乌鸦妈妈得意起来，一脸自豪骄傲）：哇……（刚一开口，肉就掉了下来。乌鸦妈妈一脸悔恨，捶胸顿足）

（狐狸叼起肉，一溜烟跑掉了）：亲爱的乌鸦，再见啦！

2. 评出优秀小组。

课程实施掠影

版块十一：传统课程之豫见之美

《豫见之美》课程设计

课程内容：

利用看一看、做一做、闻一闻、尝一尝等多种活动形式，让学生感受到美食的色、香、味、形，了解河南的美食文化。

学情分析：

二年级学生经过了一年的学习，语言表达能力已经比一年级的时候强，与同学之间的合作能力也得到了提高，好奇心强，求知欲旺盛，对和自己生活贴近的事情非常感兴趣，而且一提到美食，同学们都感到非常亲切，因此能激发学生的兴趣，调动学生的积极性和主动性。二年级开设了传统课程，本节课属于传统课程文化篇中的美食文化。

课程设计理念：

本课程以"美食"为主题，通过观看微课和做一做、看一看、摸一摸、尝一尝等活动形式，将英语学科的口语对话、美术学科的做手工彩泥、数学学科的有规律摆放、语文学科的"写话"融合在一起，培养学生的综合素质。

课程目标：

1. 了解河南的美食文化，了解河南的特产美食。

2. 通过摆一摆、说一说、写一写等活动激发学生的学习兴趣，培养学生的综合能力。

3. 通过对美食的了解，为自己是河南人而感到骄傲。

课程准备：

教学PPT，动手做红枣、山药、菊花茶等特产样品，搜集关于美食的小故事。

教学过程：

一、设置教学情境，了解河南美食文化

1. 微课情境导入。

（播放微课视频）艾丽：嗨，我是来自美国的艾丽。我从小就是一个小吃货，对吃非常感兴趣。中国的美食享誉世界，我就通过假期来中国游学，顺便了解中国的美食和美食文化。我的第一站来到了河南，可是我对河南一无所知，谁能做我的小导游帮我介绍一下河南的美食呢？

同学们，河南都有什么好吃的呢？你们都知道哪些关于美食的小故事呢？请你们来给艾丽讲一讲。

2. 学生展示搜集来的美食小故事。

二、动手做一做，展示美食

1. 情境跟进，提出更高要求。

（继续播放微课视频）艾丽：同学们讲得真好，可是你们口中的美食到底长的是什么样子呢？

2. 提出要求，动手做美食。

（1）同学们，艾丽想要看一看我们说的美食到底长什么样子，你们能利用手中的材料包做出我们口中的美食吗？（材料包有烩面、胡辣汤和油

条、鲤鱼焙面、小笼包子）

(2) 播放幻灯片，展示要求。

要求：①选出你要做的美食；②小组合作动手做一做；③展示你做的美食，并且讲一讲你是怎么做的。

3. 每个小组找一位发言人，展示你们组的作品，并且说说是怎么制作的。

三、河南的特产

1.（继续播放微课视频）艾丽：如果我回美国了，我想带一些河南的特产回去给我的朋友，你能给我介绍一下吗？

2. 同学们，你们的老家在哪里？有什么特产？能给艾丽介绍介绍吗？

3. 学生说一说自己家乡的特产，例如中牟的大蒜、开封的西瓜、信阳的毛尖、新郑的大枣、灵宝的苹果等。

4. 同学们介绍的可真多啊，我想艾丽都要担心带不回去了！老师的家乡是温县。温县的特产是中药，"四大怀药"更是其中的名品，有地黄、山药、牛膝和菊花。我带来了一些，你们可以看看、摸摸、闻闻。

（教师准备了一些"怀药"，让孩子们现场摸一摸、看一看、闻一闻）

5. 同学们，山药不仅营养丰富，味道也很好，你们想不想尝一尝？老师给每位同学发一截，请同学慢慢品尝，然后说说自己的感受。

四、小结及作业

同学们，今天我们和外国的小朋友艾丽一起，通过做一做、看一看、摸一摸、尝一尝等方式了解了河南的美食及文化，你有什么收获？请大家今天晚上回家之后，给家人介绍一下今天学到的内容，同时把自己的收获写下来，下节课我们分享、交流。

课程实施掠影

课程实施感悟

豫见之美遇见你

我们是河南人,应该让学生了解河南,但是根据学生的年龄特点、掌握知识的能力等方面,一节课40分钟,时间有限,不可能把河南的许多方面涵盖到一节课里。我在学生中间做了一个小调查,关于河南你想了解什么?调查结果出来后,我惊奇地发现,孩子们对吃非常感兴趣,于是我把这次的课程主题确定了一个方向——"美食"。

关于美食，可以让学生了解的东西非常多。我查阅了很多资料，做到心中有数，又结合有趣的教学环节，达到提高兴趣的目的。我设计的教学环节包括了解美食—欣赏美食—品尝美食—制作美食。这样的教学环节，有效地激发了学生的学习兴趣。

老师在传授知识的同时，也应该教孩子怎么做人。于是，在课堂上的每个环节中，我都穿插了一些要求，比如在品尝美食时，我给孩子讲了什么是"绅士"和"淑女"，要求孩子细嚼慢咽，吃东西没有声音，不要争抢，等等。

课后，孩子们反映非常喜欢这样的上课形式。老师虽然不能代替父母教给孩子生活的常识，可是应该尽量多地让他们感受到生活中各方面的乐趣。

版块十二：传统课程之重阳节

《重阳节》课程设计

课程内容：

了解重阳节。

学情分析：

重阳节是我国的传统节日，而二年级的学生对其内涵并不了解，所以在本次教学中要让学生了解重阳节的意义。

课程目标：

1. 帮助孩子了解重阳节的来历、传说、习俗。

2. 初步了解中国传统节日中蕴含的文化内涵，弘扬节日文化。

3. 在课堂中学习关爱老人的方式，让孩子学会感恩。

课程评价实施：

1. 根据学生课堂表现进行评价，在荣誉护照上体现出来。

2. 把为老人所做的具体事情记录下来。

教学过程：

第一课时

一、导入新课

同学们，重阳节是我国的传统节日。关于重阳节你了解多少呢？谁能给大家介绍一下呢？

二、重阳节的介绍

重阳节，又称登高节、晒秋节、"踏秋"、重九节等，为每年的农历九月初九。因《易经》中把"六"定为阴数，把"九"定为阳数，九月九日，日月并阳，两九相重，故而叫重阳，也叫重九。重阳节早在战国时期就已经存在，到了唐代，被正式定为民间节日，此后历朝历代沿袭至今。

三、重阳节的传说

关于重阳节还流传着一个神话传说，那就是《桓景斗瘟魔》的故事。

播放视频《桓景斗瘟魔》。

四、重阳节的习俗

人们都要登高、插茱萸、喝菊花酒，来纪念桓景铲除瘟魔，为民除害。那么，谁知道在重阳节还有哪些习俗呢？（播放图片）

五、各地重阳节的习俗

1. 江南

江南平原的百姓苦于无山可登，无高可攀，他们在这一天就做米粉糕点，再在糕点上插上一面彩色小三角旗，借登高（糕）辟灾之意。

2. 黔东北

黔东北土家族较为重视重阳节，须打糯米粑粑，推豆腐，祭"家虎"。

3. 山西

九月九日，山西的农村妇女习惯休息一天，不干农活。嫁出去的闺女，习惯回娘家过节。

4. 台湾

台湾有放风筝的竞赛习俗。如台湾俗语所说："九月九，风吹（风筝）满天哮。"

5. 莆仙

人们沿袭旧俗，要蒸九层的重阳米果。

六、关于重阳节的诗歌

《九月九日忆山东兄弟》

〔唐〕王维

独在异乡为异客，每逢佳节倍思亲。

遥知兄弟登高处，遍插茱萸少一人。

《九月九日登玄武山》

〔唐〕卢照邻

九月九日眺山川，归心归望积风烟。

他乡共酌金花酒，万里同悲鸿雁天。

七、重阳节的文化意义

这些诗都是诗人为了抒发自己对亲朋好友以及对祖辈们的祭奠之情。重阳节这一天也是老人节。

"九九"与"久久"同音，包含着长久、长寿的含义。1989年，我国把农历九月初九定为"老人节"，倡导我们要尊老、敬老、爱老、助老。

1. 说一说

在重阳节,我们不光要登高游玩、吃重阳糕,更要关爱我们的爷爷奶奶、姥爷姥姥。你平时都是怎么关爱他们的?你真正了解他们吗?

2. 做一做

有的同学是很了解自己的爷爷奶奶、姥爷姥姥的,可有些学生并不怎么了解,没关系,我们今天回家后,就去问一问他们,下节课我们来"夸夸自己的爷爷奶奶、姥爷姥姥"。

第二课时

一、导入

同学们,上节课老师让大家回家了解自己爷爷奶奶、姥爷姥姥的情况,大家都更了解他们了吧。那请同学们来介绍一下吧。

二、夸夸家里的老人

同学们对爷爷奶奶、姥爷姥姥的了解真得很清楚、很全面,从中不仅能看出他们对我们的疼爱,也能看出我们对他们的爱。现在就用你们丰富的语言来夸夸家中的老人吧!(学生自由回答)

小结:前人栽树,后人乘凉。老人们年轻的时候,为家庭和社会做了很多贡献;现在,他们还在尽自己所能地做事。他们的付出给我们的美好生活打下了基础,我们要尊重和感谢他们。

三、老人的心事我知道

我们的每一件事,老人都挂在嘴上,放在心里;我们的愿望和想法,他们很快就能猜到。他们的心思,我们是不是也能知道呢?

猜猜爷爷奶奶、姥爷姥姥的心思。

学生思考：

（1）每次和爷爷奶奶分手时，他们总是要问我们什么时候再来。因为……

（2）我每次出门，奶奶总是要一遍遍地叮嘱，因为……

（3）我去看姥爷姥姥的时候，他们总是做一大桌菜，因为……

我们一起再来体会下面这种现象：

夜深人静了，老人对着一大桌冰凉的饭菜，对着早已没有节目的电视机，此时此刻他会想些什么呢？可老人接到儿女不回来吃饭的电话时，还是说："忙……忙……忙好哇！"这是为什么呢？（PPT展示，学生回答）

小结：说了这么多，听了这么多，我们无时无刻不在感受着爷爷奶奶、姥爷姥姥无微不至的关心和爱护。可是，在生活中，面对他们的关爱，我们有没有对他们不够耐心、不够关心的时候呢？

四、行动起来敬老人

老人对我们的爱是无微不至的，那我们应该怎么爱他们呢？"爱"不是用嘴说出来的，而是要用行动体现出来。（播放PPT）

刚刚我们看的这些事情，只是平常的小事，但确实是爱爷爷奶奶、姥爷姥姥的表现，在生活中还有哪些事情能体现你们对爷爷奶奶、姥爷姥姥的爱呢？（学生自由回答）

五、画一画，做一做

1. 画一画。

同学们，这个周六就是重阳节了，让我们拿出彩笔亲手做一张孝心卡献给爷爷奶奶、姥爷姥姥，并在贺卡上记下自己的感动，写上自己的祝福。

2. 做一做。

回到家里，用自己的行动来表达对他们的感恩之情。请你做一件力所能及的小事。

附件：

我家老人小档案

我的
出生于　年　月　日
属相
现在做些什么
他（她）喜欢吃什么
平常的娱乐活动
他（她）最自豪的一件事
他（她）最大的愿望

版块十三：传统课程之古诗新唱

《古诗新唱》课程设计

课程目标：

1. 通过欣赏歌曲《读唐诗》，增进学生对我国古诗文化的了解，激发学生对古诗文化的热爱。

2. 感受古诗文化的博大精深，能理解"唐诗里有画，唐诗里有歌，唐诗里有苦，唐诗里有乐"的意境。

3. 组织学生在活跃而有序的课堂气氛中开展音乐活动，激发学生对古诗文化的热爱。

课程重点：

音乐活动"古诗朗诵演唱会"。

课程难点：

组织学生在活跃而有序的课堂气氛中开展音乐表演活动，激发学生对古诗文化的热爱。

教学过程：

一、组织教学，创设情境

大屏幕展示古诗的画卷，同时播放《春江花月夜》，学生观看。

二、欣赏歌曲《读唐诗》

这几部古诗画卷向我们展示了我国源远流长的古诗文化，今天，就让我们一起走进唐诗。先来欣赏一首歌曲，歌曲的名字叫《读唐诗》。它的歌词非常富有特点，听后你一定会有惊奇的发现。请欣赏《读唐诗》。(大屏幕展示歌曲《读唐诗》歌词)

你们发现歌词的特点了吗？

看到歌词，我们联想到许多古诗，那么这首歌曲中究竟隐藏了多少古诗呢？老师想考考你们，我们分组来比赛，看看哪组同学知道的唐诗知识最多。

那我们分成四组，每组有一块题板，请将歌词与古诗题目用线连接起来，小组同学共同完成，连接最快最准确的为优胜组。(活动进行中播放歌曲《读唐诗》，连接好的把题板送到前面)

(同学们都连接完了，我们来看看他们连接的是否正确，老师请你们一起来做评委)

题板内容答案：

"床前的月光"—《静夜思》(李白)

"窗外的雪"—《夜雪》(白居易)

"高飞的白鹭"—《绝句》(杜甫)

"浮水的鹅"—《咏鹅》(骆宾王)

"枫桥的钟声"—《枫桥夜泊》(张继)

"巴山的雨"—《夜雨寄北》(李商隐)

"边塞的战士"—《出塞》(王昌龄)

"异乡的客"—《九月九日忆山东兄弟》(王维)

由此我们知道,这首歌曲中隐藏了多少首古诗呢?(八首)

对了,现在让我们有感情地朗诵一遍歌词,体会歌曲所表达的情感。(学生齐声朗读歌词)

同学们可以轻声随歌曲唱一唱,同时想想你是怎样理解"唐诗里有画,唐诗里有歌"这句歌词的。

我们以一首唐诗为例。比如"高飞的白鹭"是谁的哪一部作品?(杜甫的《绝句》)古人喜欢见物咏怀,见景抒情,对自己的所见所思进行即兴吟唱,我们也来学学看,(吟诗时作摇头晃脑状)注意听老师吟诵诗歌时有什么特点,和读现在的白话文有区别吗?(吟诵"两个黄鹂鸣翠柳,一行白鹭上青天。窗含西岭千秋雪,门泊东吴万里船")

很有韵律感,与今天的音乐很相近,它的节奏、音调与音乐是相通的,感觉就像在唱歌,真是诗中有歌啊。

古人还喜欢边吟诗边作画呢,如果让你来给《绝句》这首诗作画,你会画些什么呢?我们一句一句地来。(学生回答)

这些色彩绚丽的景物,远近高低相映成趣,合起来宛如一幅浑然一体的画卷,真是令人赏心悦目。"唐诗里有画,唐诗里有歌"这句歌词都能理解了吗?

歌词我们都理解了,现在让我们随音乐用亲切、自然的声音把《读唐诗》完整地唱一遍。

三、拓展音乐活动

祖先在向我们诉说,诗人以诗抒怀,从诗中我们体验到他们的喜、怒、哀、乐,体会到他们心中细腻的情感。今天我们也来借古人的情怀,抒发我们的情感,好不好?

我们分成四组表演，每组可以选择《读唐诗》中的古诗，也可以选择你们学过的古诗、喜欢的古诗进行表演，各组讨论用什么形式，怎么表演。

形式（根据课堂具体情况而定，不可拘泥）：

A．演唱古诗。演唱一首学过的古诗歌曲。

B．吟诵古诗。配乐朗诵古诗。

C．表演古诗。即兴表演古诗。

D．画古诗。把你读懂唱会的古诗画出来。

同学们表演得真好，下面我们一起来观看合唱团小朋友演唱的古诗歌曲《赋得古原草送别》。

中华民族的古诗文化博大精深，源远流长，我们每一位中华儿女都为有这样的古诗文化而感到骄傲，感到自豪，我们应该把古诗文化发扬光大。让我们带着对古诗的喜爱与赞美的情感再次演唱《读唐诗》，结束我们今天的课程。

版块十四：传统课程之华容道

《华容道》课程设计

课程内容：

华容道是滑块类游戏中的经典。华容道游戏名称来源于我国古典四大名著之一《三国演义》中的情节：曹操在赤壁大战中被刘备和孙权的"苦肉计""火烧赤壁"打败，被迫退逃到华容道，遭遇诸葛亮预设的伏兵。关羽为了报答曹操对他的恩情，明逼实让，使曹操逃出华容道。游戏就是据此设计而成。

学情分析：

学习北师大二年级数学上册第四单元《图形的变化》，学生初步感知平移，接触到了华容道，对此非常感兴趣。玩是孩子的天性，"寓教于玩"可以极大地激发学生学习的兴趣，发展学生的思维，开发学生的智力。华容道游戏是我国四大经典游戏之一，因此，有必要引导学生了解和学习这款游戏。

课程设计理念：

立足华容道游戏，通过引导学生移动板块来释放"曹操"的全过程，培养学生自主、有序思考的能力，达到锻炼学生逻辑思维能力和推理能力的目的。

课程目标：

1. 使学生通过盘上的两个空格，逐步移动各个板块，直至把"曹操"移动到下面的出口，从而学会玩华容道的游戏。

2. 在探索如何释放"曹操"的复杂过程中，培养学生的战略、战术技巧。

3. 通过玩华容道游戏，训练学生的逻辑思维能力和推理能力。

4. 通过玩华容道游戏，培养学生的创新意识和实践能力。

教学过程：

一、介绍起源，激发兴趣

同学们，你们接触过华容道这款游戏吗？能不能把你们了解到的讲给大家听？

下面，我们一起来了解一下这款游戏的历史故事。

这款游戏来源于我国四大名著之一的《三国演义》，其中有一个众所周知的小故事：据说当时刘备和孙权两军联合抗曹，周瑜巧设"苦肉计"，以及历史上著名的"火烧赤壁"，迫使曹操溃逃到华容道，遭遇诸葛亮预设的伏兵。关羽为了报答曹操昔日对他的恩情，放过曹操，使曹操逃出华容道。游戏就是据此设计而成。介绍到这里，你是不是很想认识它？

二、介绍玩法，自主探索

1. 介绍游戏玩法。

一个带二十个小方格的棋盘，代表华容道。棋盘下方有一个两方格边长的出口，是供"曹操"逃走的。棋盘上共摆有十个大小不一样的棋子，它们分别代表曹操、张飞、赵云、马超、黄忠和关羽，还有四个卒。棋盘上仅有两个小方格空着。玩法就是通过这两个空格移动棋子，用最少的步数把"曹操"移出华容道。

同学们在玩之前还要细致观察棋盘上每一个棋子的不同。"曹操"最大,有几个小正方形"兵卒"这么大?"关羽"等五员大将呢?这些棋子之间大小关系怎样?(这样的设计对于初玩这个游戏的学生来说,避免了盲目移动,有利于培养学生细致观察和有序思考的习惯,对于培养学生数形结合的思想方法也有着重要的意义)

2．强调游戏规则。

课件展示：

(1) 任意木块移动一次算作一步,帮助"曹操"从初始位置移到棋盘最下方中部,从出口逃走。以放出"曹操"移动的步数计算成绩,少者为佳。

(2) 移动各个木块时,不允许跨越木块,只能上下左右平移木块。

(3) 提示：首先,"曹操"逃出华容道的最大障碍是关羽,"关羽"立马华容道,一夫当关,万夫莫开。要关注解开这一游戏的关键。其次,四个刘备的军兵是最灵活的,也最容易对付,要考虑如何发挥他们的作用。

三、引导探究,尝试游戏

1．动手操作。

大家已经了解了华容道这款游戏的玩法和规则,动手试试吧。先自己动手玩,5分钟后,把自己的感受和发现与你的同伴说一说。

(1) 巡视发现问题,强调游戏规则。(板块的移动规则：比如"关羽"是横着移动,其他四员大将竖着移动)

(2) 同伴交流操作感受。(操作中遇到的困难和突破方法、通关后的喜悦心情)

(3) 动手操作。(明白游戏规则后再一次尝试突破)

2．交流反馈。

在玩的过程中，你遇到了什么问题？或者说一说你有什么感悟或想法。

四、评价激励，升华提高

1．评价激励。

提问：这节课你玩得开心吗？为什么？你有哪些收获？（学生汇报）

评价：这个游戏不仅使同学们学会了华容道布阵取胜的战略、战术，而且锻炼了同学们的推理能力和逻辑思维能力，还锻炼了大家持之以恒的意志力。

2．拓展延伸。

同学们回家以后还可以了解一下华容道还有哪些布阵方法。

（学生将华容道游戏研究到一定程度后，可以再拓展下列内容）

研究华容道游戏，除了知道其历史，还要至少解决以下几个问题：

（1）有多少种开局；（2）给出最优解；（3）计算机求解。

课程实施掠影

版块十五：传统课程之轴对称

《轴对称》课程设计

课程内容：

学生手工制作大象和灯笼。

学情分析：

二年级的学生动手能力较弱，因此，在制作过程中要注意细化操作过程，让学生明确每一步的操作步骤。

课程设计理念：

手工活动不仅能够增强学生的动手能力，还能提高学生的审美能力。此外，这一部分同数学第四单元的轴对称知识相契合，能够帮助学生巩固轴对称的知识。

课程目标：

1. 学会制作手工大象和灯笼。
2. 在操作过程中提高动手操作能力和合作能力。

课程评价实施：

学生的课堂纪律表现及最终形成的手工作品。

教学过程：

第一课时

一、谈话导入

每到过年的时候，家家户户都会挂起红红的大灯笼。

中国灯笼又统称为灯彩，是一种古老的汉族传统工艺品，起源于西汉时期。每年的农历正月十五元宵节前后，人们都挂起象征团圆意义的红灯笼，来营造一种喜庆的氛围。后来，灯笼就成了中国人喜庆的象征，经过历代灯彩艺人的继承和发展，形成了丰富多彩的品种和高超的工艺水平。从种类上分，有宫灯、纱灯、吊灯等。从造型上分，有人物、山水、花鸟、龙凤、鱼虫等。

今天，我们就自己尝试来做一个灯笼。

二、教学操作

1. 欣赏学生剪纸《灯笼》，激发创作兴趣。

引导学生仔细欣赏、观察，归纳总结：

（1）灯笼的两边都是对称的，用对边折剪的方法制作。

（2）灯笼上镂空了各种漂亮的花纹，如月牙纹、小圆孔等。

2. 学生看步骤图进行创作，体验创作过程。

（1）认识步骤图符号，理解其含义。

（2）指导学生边看步骤图边创作作品。

三、学生独立操作

通过前面的学习，让学生独立制作一个灯笼。教师巡回，解决创作困难。

1. 对边折剪注意叠整齐，看步骤图逐步画样稿。

2. 在镂空时可以运用已学剪纸符号，也可以想出新的符号来装饰。

3. 剪纸时注意安全，剪下的废纸放入垃圾筒。

四、成果展示

教师：谁愿意介绍一下你剪的灯笼是什么样的？镂空了哪些花纹？（鼓励学生大胆说说自己的作品）

全体学生共同布置灯笼，将自己剪出的灯笼高高挂起，体验成功的喜悦。

第二课时

一、谈话导入

1. 教学引导学生猜谜语：鼻子像钩子，耳朵像扇子，腿粗像柱子，身子像房子。（谜底：大象）

2. 教师出示大象的剪纸成品，请学生观察：

大象生活在热带雨林中，身体很壮，有四条粗粗的像柱子一样的腿，还有一根长长的鼻子。它的鼻子可能干了，会卷起各种东西，还会喷水洗澡。

二、操作教学

播放视频，说明每一步的具体操作过程。

1. 折一折

拿出一张彩纸，两端对齐后对折，变成一个长方形。

2. 画一画

将对折后的纸开口朝下，画出大象，注意大象鼻子、耳朵及大象四肢的画法。（注意：折纸闭口的部分充当大象的背部）

在完成大象轮廓的基础上，自己选择喜欢的颜色、线条对大象的鼻子、背部和四肢进行装饰。教师可以在巡视的过程中对学生加以指导。

3. 剪一剪

在大象的设计、绘画完成后，沿着轮廓将其剪下，这样一头可以站立的大象就完成了。

4. 写一写

在大象肚子的空白部分写上自己想说的话，可以是写给父母、老师的，可以是写给好朋友的，也可以是写给自己的。

三、成果展示与交流

学生展示自己制作的大象，和同桌、好朋友分享自己的设计及寄语。鼓励学生将制作的大象送给父母、老师或者好朋友，勇敢表达自己的感情。

课程实施掠影

版块十六：传统课程之沙包游戏

《沙包游戏》课程设计

课程内容：

把扔沙包和数学上的直线、环线进行融合，让学生体会不同扔法的不同乐趣，掌握不同扔法的技巧。

学情分析：

二年级的学生好动、活泼，通过前一年的学习，掌握了一点课堂常规知识，但是绝大多数学生自制力较弱，运动技能水平也比较低。因此，在教学中，要结合学生这些特点，利用游戏、语言激励、比赛、展示等方法不断鼓舞学生进步。

课程设计理念：

传统的沙包游戏具有乡土气息，受到广大少年儿童的喜爱。通过体育、语言、美术、常识、音乐等各种教育活动展开讨论，让学生在说、唱、跳、画、认知等方面开阔知识视野，提高身体素质。

课程目标：

1. 了解沙包游戏的历史，知道沙包游戏是我国的传统游戏之一。
2. 学会一到两种丢沙包的游戏方法，初步学会跑动中躲避沙包的技术动作。

3. 学会并接受游戏中的合作与分工，培养初步的合作意识。

4. 通过本课的学习，增强孩子热爱民族传统游戏的意识，从而加深孩子的爱国意识。

教学过程：

一、介绍沙包游戏，进行文化教育

介绍沙包游戏的有关知识。

二、掌握技能和游戏注意事项

带领学生一起做热身操。

1. 直线丢沙包。

（1）丢沙包分成两拨，一拨横列在场地中间，另一拨选两人站在两端。开始后由两端的孩子中的一个持包，丢向中间的一拨，丢中了谁，谁下场；丢不中，则另一端的孩子捡包接着丢。场上的一拨孩子必须不断地转身，面向持包人。他们可以躲包，也可以接包，如果把丢过来的包接住，则对方失分，已下场的可以被"救活"。丢包讲求速度，丢的一方速度一快，躲的一方容易乱阵脚，也容易躲闪不及，更不容易接包。丢包一方也有技巧，不能往对方怀里丢，那样最容易接住，最好是向大腿或肩膀扔去，以对方不易接住为原则。

（2）把学生分成若干小组：每个小组通过自我推荐或"剪刀、石头、布"的形式选择掷沙包人选。

（3）小组练习。

（4）各小组进行比赛。（在规定的时间内各小组的掷沙包人员进行互换，最后以在场人数多少决定小组的胜负）

2．环形丢沙包。

（1）在场地画五个同心圆，直径分别为 2 米、4 米、6 米、8 米、10 米，以 12 人为一组（包括掷沙包人员），先从 10 米大圆开始跑动，每被击中两人后前进一个圆，坚持到最后者为胜。

（2）合理分组，12 个人为一组。

（3）分组进行练习。

（4）组织比赛——每组掷沙包人员互换，在规定时间内场地剩余人员最多者为胜者。

三、恢复放松

带领学生进行简单放松，收还器材。

四、畅谈感受，童心绘图

组织学生说一说对本次课的感受，用线条简单地画一下刚才沙包游戏的过程。

版块十七：传统课程之陀螺探秘

《陀螺探秘》课程设计

课程内容：

陀螺探秘。

课程目标：

1. 了解陀螺的历史，知道陀螺游戏是我国的传统游戏之一。

2. 初步掌握制作陀螺的方法，在操作的过程中探知陀螺长时间旋转的秘密。

3. 通过活动，感受动手、动脑、合作、实践带来的快乐。在体验中形成对生活的热爱。

课程重点：

发现陀螺长时间旋转的秘密。

课程难点：

解决和改进操作时遇到的问题。

课程准备：

剪刀、尺子、铅笔、火柴棒、计时器或钟表。

教学过程：

一、猜谜导入

首先请同学们猜一个谜语：（课件出示）在玩具世界里，独脚尖尖身体圆，绳索绕在身上边，拼命挣脱得自由，只在地上转圈圈。（打一玩具）那么这个玩具是什么呢？学生回答。

师：对，这就是陀螺！陀螺的样式很多，请看图片。（老师展示各种陀螺图片）

二、介绍陀螺的悠久历史和现代化的应用

1．简单介绍陀螺的悠久历史。

（出示课件）陀螺，是我国最古老的玩具之一，其起源因年代久远，无较详细的资料记载，传统的陀螺大多是木制或铁制的倒圆锥形。虽然其历史久远，但至今仍是深受人们喜爱的一种玩具。

2．陀螺在生活和高科技领域的广泛应用。（课件展示：自行车的车轮、飞机的科技表演、导弹的发射）

三、制作陀螺

师：陀螺的历史原来这么悠久啊，而且它的运动方式也和我们的生产生活息息相关。今天我们就先来学习制作简易的陀螺。（出示纸陀螺图片）

制作方法：

1．用铅笔在硬纸板上画一画。

2．用剪刀沿着线剪一剪。

3．在中间插上火柴棍。

制作要求：

小组合作用硬纸板制作出三种不同形状的陀螺。

第一种：用边长为 3 厘米的正方形制作陀螺。

第二种：用直径为 4 厘米的圆制作陀螺。

第三种：用边长为 3 厘米的正三角形制作陀螺。

学生动手制作，老师巡视指导。

四、陀螺探秘

（玩陀螺，找不足）

制作好了吗？拿出你制作的陀螺试一试，看看你做的陀螺能不能转。（学生检验自己做的陀螺）有些同学的陀螺旋转不起来，想一想，制作陀螺时需要注意什么问题？重新改正一下制作方法，注意细节，再制作一个试试。

拿出你制作好的陀螺玩一会儿，在玩的过程中，请你思考一个问题——哪一种形状的陀螺旋转时间最长？（课件出示）

要求：

1. 分小组探索，小组内选出一名操作员负责旋转。

2. 选出一名记录员，负责记录旋转的时间。

3. 选出一名计时员，负责计时。

4. 选出一名汇报人，负责汇报结果。

选好记录员以后，记录员在准备好的表格中记录时间。小组讨论有什么发现，并在表格中写一写。

（学生探索，教师巡视，可适当加长时间）

同学们，请汇报一下你们小组的发现。（学生汇报）

好了，大部分小组都有一样的发现——有的陀螺转的时间长，有的转的时间短，这是怎么回事儿呢？请同学们猜想一下，陀螺转动时间长短不同可能与什么因素有关呢？（学生汇报自己的发现和想法）

小结：陀螺旋转时间的长短和陀螺的形状有关。

那能不能证明你们的猜想是正确的呢？请一组同学展示一下你们的操作来验证你们的猜想。（学生展示）

同学们太棒了！运用自己发现的眼睛、科学的手段，不断地探索实践，发现了陀螺长时间旋转的秘密。你们太了不起了！

五、总结延伸

小结：陀螺的制作是严谨的，如果做不到严谨，我们的小陀螺就旋转不起来。当然，我们的科学发展同样需要这样严谨的精神，希望同学们能把这种严谨的态度带到我们的学习和生活中！

附件：

形状	第一次旋转时长	第二次旋转时长	原因猜想
正三角形陀螺			
正方形陀螺			
圆形陀螺			
你发现了什么			
小组评价			

版块十八：传统课程之跳绳

《跳绳》课程设计

课程内容：

把跳绳和数学上的统计进行融合，让学生在跳绳的过程中不仅学会花样跳绳，同时还要记录一个人一分钟跳多少个，最后统计出一个小组8个人一共跳了多少个，得出平均值，评比出平均数量最多的一个小组。

学情分析：

利用游戏、语言激励、比赛、展示等方法不断鼓励学生进步。

课程设计理念：

跳绳不仅可以锻炼幼儿的体质，还有利于儿童心智发展，是一项有益于身心发展的运动项目。跳绳能够加快胃肠蠕动和血液循环，促进机体的新陈代谢，有利于儿童健康成长；能确立儿童的数字概念，儿童跳绳时自跳自数，有助于他们把抽象的数字与实际事物联系起来；能提高儿童记忆能力，由于儿童在跳绳过程中不断地数数，其大脑皮层处于兴奋状态，有助于其将抽象记忆转化为形象记忆；能使儿童心灵手巧，人的机体在运动时会把信息反馈给大脑，从而刺激大脑进行积极思维，儿童跳绳时自跳自数，可以提高大脑的思维灵敏度和判断力，有助于儿童体力、智力和应变能力的协调发展；能培养儿童的平衡感和节奏感，跳绳时的动作可谓"左右开弓，上下齐动"，有助于儿童左脑和右脑平衡、协调地发展，还可以培养儿童的节奏感；能帮助儿童确立方位感和培养其整体意识，儿童在跳绳过程中，有时是单人跳，有时是双人跳，有时是多人跳，有利于儿童形成准确的方位感；儿童在跳绳活动中，能够自觉地形成组织纪律性，可以培养其团结协作精神和集体主义观念。

课程目标：

1. 了解跳绳的历史，知道跳绳游戏是我国的传统游戏之一。

2. 学会3～4种定点跳绳的游戏方法，熟练掌握单人跳绳，初步学习各种花样跳绳，并能掌握其动作要领。

3. 学会并接受游戏中的合作与分工，培养合作意识。

4. 通过本课的学习，增强孩子热爱民族传统游戏的意识。

教学过程：

一、小组交流，介绍跳绳有关历史

分小组交流、分享跳绳的有关知识，教师进行评价引导。

二、单人跳

1. 原地单脚向前（后）摇跳：如一脚跳过绳，另一脚前举、前屈或后屈。

2. 原地双脚摇跳：如前腿跳、蹲跳等。

3. 原地交换脚跳：如交换做高抬腿跳等。

4. 行进间的交换脚跳。

5. 花样跳：如双摇跳、交臂摇跳、"8"字摇跳等，也可计时跳、规定数量跳、变换速度跳等。

三、集体跳

1. 由单人鱼贯式或多人一齐跑进、跑出、跳过或连跳的方式进行跳绳。在跳的时候，可任意跳几次，可加做一些自己喜欢的小动作，如拍手、转身、报号、唱儿歌、拾物等，增加跳绳的乐趣。

2. 2～3人花样趣味跳绳法。

(1) 一人摇跳，另一人跑进、跑出或同跳。

(2) 一人助摇跳。

(3) 两人同摇跳。

(4) 两人跑动跳。方法：两名同学左、右手持绳的两端，做向前跑动跳绳的练习，速度要求中等，动作协调，注意不要被绳子绊倒。

(5) 三人重叠跳：一人摇跳，另两人跑进、跑出或同跳。方法：一人先用稍长的绳并脚跳，速度较慢，然后其余两人跳进或跳出跳绳者的体前或体后，同跳。注意跳起时基本一致，摇绳速度要均匀，不能忽快忽慢。

四、创编跳

利用跳绳创编的游戏：

1. "蜈蚣爬"。

学生分为四组，每组按纵队站好，每人一根跳绳，排头除外。后面的同学把跳绳绕住前面同学的腰，自己抓好绳的两头，全组一起向前跑动。练习时，以先到达目的地、队形又不散的队为胜。

2. "螃蟹走"。

两个学生为一组，用跳绳把两人的膝关节绑在一起，成两人三足。练习时，两人侧对行进方向横着走，看哪组走得最快。

3．四人运货。

4人一组，用4根跳绳组成"井"字形，每人抓住两根绳头，"井"字中间放一个排球。练习中4人配合不使球掉下，且最先到达目的地的队为胜。

4．跳大绳。

把短跳绳一根一根接起来，长度视练习的人数而定，多人跳一根绳。

5．跳"竹竿"舞。

利用跳绳模仿少数民族的"竹竿"舞来进行练习，要求拉绳的同学把绳子拉直拉紧。另外，"竹竿"不会夹脚。

6．拓展练习。

与当今流行的拓展运动是一样的，用绳子结成一个网，网洞的大小视能钻过体形不同的同学为宜。结好的网可以附在排球架上，下面铺好垫子，防止学生受伤。学生通过努力，把同学从网的一边运到另一边，过网时身体尽量不要触网。

五、记录并统计跳绳数量

1．全班学生分成8组，记录一个人一分钟跳多少个，最后统计出来一个小组8个人一共跳了多少个，得出平均值。

2．评比出平均数量最多的一个小组，颁发奖励。

课程实施感悟

让传统游戏走进小学校园

一、主题的生成

我们二年级组全体老师在进行教研活动时，发现传统体育游戏历史悠久，源远流长，丰富多彩。它与民俗民风相融汇，与文化艺术相结合，富有浓郁的民族风格，又具有独特的地方特色，深受各民族人民喜爱，具有广泛的群众基础。传统体育游戏大多具有群众性、比赛性、对抗性，可使学生从中体验合作的力量、成功的喜悦，激发他们的学习兴趣。开展传统体育活动，充分体现了现代体育教育的理念，而且气氛活跃，有利于师生间情感交流，使学生在热情欢快的学习氛围中，深刻体验"快乐体育"和"成功体育"的乐趣。

二、活动的实施

1. "听父母讲那过去的故事"

要使传统游戏进入学生视野，让他们觉得好玩，就要用心去挖掘和整理课程资源。首先，我们通过网络、影视等现代传媒搜集资料制成幻灯片，如整理滚铁环、跳皮筋、玩陀螺、丢沙包、跳房子等已消逝在学生视野的传统游戏，让学生先了解有哪些游戏。其次，采访自己的父母与不同年龄、不同地域的人，了解不同时代、不同环境下传统游戏的种类和玩法。学生自拟采访提纲，写出采访笔记，整理游戏方法，感受社会的发展进步。再次，请家长委员作报告，讲述体育、卫生、健康知识，了解游戏的价值；通过当小记者采访，写听后感等方式使学生受到传统文化的教育，增进民族自豪感和自信心。最后，针对家长委员会的报告，通过查阅资料、调查走访，就传统游戏的文化内涵、现代体育的竞技精神、卫生健康知识等进行综合性研究，办游戏杂谈专刊，开展传统游戏大比拼主题活动，进一步使游戏进入学生生活。

2."游戏由我做主"

要让传统游戏在学生中流行，就要让他们会玩，善于玩。首先，引导学生对搜集的游戏进行统计、整理和分类。其次，引导学生掌握游戏工具的制作方法。至于玩法，则充分发挥学生的主动性和创造性，让他们在尝试中摸索，在体验中成长，在游戏中得到快乐，在参与中感受幸福，在合作中学习相处。再次，在教师的指导下统一道具制作方法，统一游戏规则，并且利用每周的智慧课程时间大力开展"传统体育游戏"活动，放手让学生玩。全员训练，提高游戏的训练水平。最后，讲述传统游戏故事，创作新的游戏歌谣，培养学生的创作能力。

3."含苞的花蕾"

通过各种形式让学生玩得有收获，玩出成果。首先，举行传统游戏比赛，过传统游戏节。学生自己想点子，自己策划组织，人人参与，在合作游戏中享受游戏的快乐。其次，将传统游戏带入校级运动会。最后，举行传统游戏、现代体育知识竞赛，深入探究传统游戏的文化内涵和现代体育的竞技精神。

要让传统游戏进入儿童生活，还要发挥学生的创新精神，创编、创新游戏，使学生玩出新意，玩出成就感。学生的创新可以是改变游戏的工具及制作方法（如陀螺由木制变成其他材料制作），也可以是改变游戏的玩法（如踢毽子），或者是将几种游戏结合创编出新游戏（如跳皮筋与歌曲结合），或者是自己创造出独特的游戏种类（如奥运操、看不见的跳绳等）。我们希望传统游戏散发出时代气息，真正进入学生的心灵深处。

版块十九：传统课程之走进成语故事

《走进成语故事》课程设计

课程内容：

走进成语故事。

课程设计理念：

成语作为语言的重要组成部分，比起一般的词语具有非常明显的长处：言简意赅，结构谨严，凝练含蓄，富于哲理性而又鲜明生动，表现力特别强。因此，成语在人们的语言交往活动中广泛地发挥着独特而不可替代的巨大功用。正确运用成语的前提是必须对成语有深入的了解，知道有引申义和比喻义的成语在汉语成语中占主要地位，这些成语大多出自古典文献，都有特定的故事与来由，有的还是文言词语，与现代汉语有很大出入。

学情分析：

成语故事大多比较浅显，学生读了能基本理解，所以尽量让学生自主阅读。教师重在增强学生学好成语的意识以及对其阅读方法的指导，课堂上给予一定的点拨，使他们在原有的基础上有所提高。

课程目标：

1. 提高学生学好成语的兴趣与信心。

2．使学生初步掌握成语的特点及成语故事的阅读方法。

3．提高学生的阅读能力，养成良好的阅读习惯。

4．让学生在生活和写作中养成积累并运用成语的习惯。

课程评价实施：

依据荣誉护照中的相关评价实施。

教学过程：

一、积累成语，导入新课

1．导入。

同学们，你们在生活和学习中一定积累了不少成语，你们能说几个给大家听吗？

2．教师根据汇报相机归纳：成语是人们长期以来习惯运用的、形式简洁而意思精辟的固定词组或短语。我们祖国的语言就像一座富有的精神宝库，成语就是这座宝库中璀璨夺目的珍珠。

3．中华民族如此丰富的成语都是从哪里来的呢？这节课就让我们一起走进成语故事。（板书：成语故事）

二、阅读故事，明白道理

成语是历史的积淀，每一个成语的背后都有一个故事。经过时间的打磨，千万人的口耳相传，每一个成语都言简意赅。阅读成语故事，可以了解历史、通达事理、学习知识、积累语言素材。所以，学习成语故事是我们青少年学习中国文化的必经之路。那么，如何阅读成语故事呢？

（一）教师播放《井底之蛙》动画成语故事，问学生讲了什么故事，懂得了什么道理。（指名回答）（过渡：看动画片这么容易懂，那么我们是不是不用看这本书，只看动画片就行了？）

（二）中华五千年文明光辉灿烂，汉语三千年历史博大精深，中华成语璀璨夺目，每一个成语都是中华文化的一扇窗口，透过这一个个历史上或传说中的事件、人物，同学们能体会到中华民族所推崇的真善美，感悟我们民族的审美特点。下面，我们一起拿起《成语故事》，选一则你喜欢的故事读一读。

（三）学生通过目录自主选择阅读其中一个成语故事。

1．教师引导学生浏览目录，通过题目选择自己喜欢的一个成语故事。

2．教师多媒体出示阅读要求：

(1) 通读全文，读准每个字的读音。

(2) 概括成语故事的主要内容，想想它告诉了我们什么道理。

(3) 用"＿＿"画出好词好句，用"～～"画出不理解的词句，并想办法解决。

3．同桌交流好词好句。全班交流不理解的词句、故事的主要内容与道理。

4．听了同学们讲述的这么多生动有趣的故事，老师也想跟你们一起读一则成语故事。

（多媒体出示成语故事：闻鸡起舞）

（四）感悟《闻鸡起舞》。

1．提出自学提示。

(1) 轻声读故事，不认识的字和不理解的词语，借助字典或联系上下文解决。

(2) 想想这个成语故事讲了一件什么事。

(3) 知道成语的意思，明白成语故事中蕴含的深刻道理。

2．学生自学故事，教师巡视指导。

3．检查自学情况。

4．说说这个故事讲了一件什么事。

(五)精读故事，边读边思。

1．多媒体出示成语故事《闻鸡起舞》。

2．指名学生读成语故事《闻鸡起舞》。

3．讨论思考题：

(1)多媒体出示思考题。

①谁和谁闻鸡起舞？

②"闻鸡起舞"的深层含义是什么？

③这个成语故事说明了什么道理？

(2)小组交流：说说你明白了什么道理。

(3)小组汇报：推荐代表汇报。

(4)老师小结：听了这个故事，你早上还想睡懒觉吗？要想取得好成绩，勤奋是前提，我们只有抓住时光，刻苦努力，才能做得比别人好，仅靠小聪明是不行的。

三、及时总结，获取方法

1．初读，不认识的字和不理解的词语，联系上下文或查字典解决。

2．想想这个成语故事讲了一件什么事。

3．知道成语的意思，明白成语故事中蕴含的深刻道理。(板书：读　想　悟)

四、运用方法，拓展阅读

在我国语言的宝库中，成语是一朵鲜艳的奇葩。有好多成语中包含着一个个生动的故事。了解这些成语故事，既能增长知识，又能积累语言。

我们已经运用刚才的阅读方法阅读了一个成语故事,课下,请同学们用以上方法继续阅读十个成语,下一次咱们再召开一次成语故事会,你们可要好好做准备哦!

五、结束语

优秀的书籍就是一个智慧长者,愿你在这位长者的引领下,一步步向前,遨游在知识的海洋,成为一个自信、充实的好孩子!

版块二十：传统课程之健康饮食，快乐成长

《健康饮食，快乐成长》课程设计

课程内容：

健康饮食，快乐成长。

课程设计理念：

由于最近学生吃零食现象日益增多，而校门外又有很多无证经营的商家，卫生条件也较差，为了杜绝学生乱买零食吃的现象，通过活动强化学生的食品安全意识。

课程目标：

1. 加强食品安全教育，增加学生食品安全知识，增强学生食品安全自我保护意识。

2. 培养学生从小讲卫生、谨慎买零食的好习惯。

3. 树立食品安全意识，珍爱生命，关注健康。

课程评价实施：

1. 让学生查阅食品卫生方面的资料，以备交流。

2. 黑板上书写"健康饮食，快乐成长"八个美术字。

3. 准备课件。

教学过程：

一、情境表演，启发谈话

1. 情境表演《爱吃零食的他》：上课时，一个男生突然肚子痛，同学将他送到医务室。

2. 全班讨论：他为什么会肚子痛？经过了解，他很爱买零食吃，今天早上上学时就买了一瓶果汁到学校来。同学们针对果汁进行讨论。

3. 教师小结，导入主题：孩子们，学校规定不能到小摊上去买零食吃，可有的同学偷偷地去买，不听老师的劝告，这位同学就是因为吃了小摊上不卫生的果汁而生病的。其实除了饮水要注意安全，其他的食品也应该注意安全。但是，谁不爱吃零食呀！那香喷喷的炸鸡腿、鲜美的薯条，还有香甜的冰激凌，哪一样不诱人啊！喜欢零食是孩子们的天性，但往往在吃得高兴的同时，却忘记要看看食品是否合格，是否过期，是否变质。

二、播放图片，关注安全

1. 孩子们，也许是因为太熟悉了，也许是我们已经习惯了，许多生活中的饮食卫生问题我们常常会熟视无睹，但如果把它们拍成一个个特写镜头，会给我们什么感受呢？（课件出示不讲饮食卫生的生活场景）

2. 各自谈感受，教师相机引导归纳。

同学们，这一组组的镜头真可谓是触目惊心。那你知道怎样的饮食才安全、卫生吗？

（1）注意吃零食的场合：不应在路上、校园内、公共场合吃，这样有损少先队员形象，也不利于身体健康，还影响环境卫生。应在干净、卫生的环境中吃，吃时不讲话。

（2）养成良好的卫生习惯：勤洗手，特别是饭前便后，用香皂、洗手液洗手；不吃生冷、不清洁的食物；不吃变质的剩饭菜；少吃、不吃冷饮；少吃、不吃零食；不要长期吃辛辣食品；不要随便摘野果吃，吃水果后不要急于喝饮料，特别是水；剧烈运动后不要急于吃食物、喝水；不喝生水，建议喝标准的纯净水；千万不要去无照经营摊点、饭店购买食品或者就餐；尽可能在学校食堂就餐。（播放学校学生就餐视频）

（3）购物小常识：购买食品时要进行选择和鉴别，不购买"三无食品"——没有质量合格证的食品不能买，没有生产日期的食品不能买，没有生产厂家的食品不能买。

孩子们，食品安全关系到我们的身体，影响着我们的成长。虽然存在许多食品安全问题，但只要把握住卫生常识、购买常识，相信我们能吃出快乐，吃出健康。

版块二十一：传统课程之欣赏《魔法师的弟子》

《欣赏〈魔法师的弟子〉》课程设计

课程内容：

欣赏《魔法师的弟子》。

课程目标：

1. 引导学生通过聆听乐曲感受乐曲所表达的内容，从而发展学生听辨能力与想象能力。

2. 能把自己听到的音乐故事表述出来，并记录下来。

课程重点：

通过聆听，感受音乐所表达的内容。

课程难点：

交响诗、管弦乐队的构成、听辨乐曲中个别乐器的音色。

课程准备：

多媒体。

教学过程：

一、导入

1. 今天，老师给大家带来一段音乐，而且是我们以前学过的，听一听，是什么乐曲？——《魔法师的弟子》（课件）。

2.《魔法师的弟子》的音乐体裁是什么？——交响诗（课件）。

二、揭题

1. 今天，我们要来欣赏交响乐中的另一种体裁——交响诗（课件）。

2. 交响诗是类似于交响童话的一种体裁。我们知道交响童话就是用交响乐的形式来给我们讲述童话故事，那交响诗也是跟交响童话一样用音乐来给我们讲故事，但因为交响诗所讲述的故事具有一定的魔幻、神奇、浪漫的色彩，所以才把它称为"诗"。那么，我们今天要来欣赏的是什么故事呢？——《魔法师的弟子》（课件）。

三、分段欣赏《魔法师的弟子》

在很久很久以前，有一个古老的城堡，（课件播放绘本）请随着音乐去看一看，这是一个怎样的城堡？——聆听（神秘、安静、可怕）

在这个城堡里住着一位老魔法师，听一听，他是一个怎样的魔法师？——聆听（可怕、法力高强）。

这个魔法师有一件宝贝，是一个小扫把，只要对这个小扫把念动咒语，它就会帮你做任何事情，我们来听一听，这是一个怎样的小扫把？——聆听（调皮、可爱、活泼）。

我们看到小扫把的乐谱上有许多什么记号？（顿音记号）顿音记号的作用是什么？（跳跃、有弹性）显得小扫把非常调皮、可爱。

让我们来哼唱一下扫把的旋律，注意休止符要空出来，先听老师哼唱一遍，然后再齐唱。

城堡里除了魔法师与这个小扫把，还住着一个人，它就是魔法师的小弟子。虽然他做了魔法师的弟子，但是魔法师却从来不教他魔法与咒语，每天都让他干许多的粗活,其中最辛苦的就是挑水了。城堡里有一个大水缸,师父每天都让弟子去河里挑水把水缸装满,所以,小弟子每天都非常辛苦。小弟子很想学法术,因此他每天都趁着魔法师念咒语时偷偷地学上几句。有一天,魔法师有事出去了,城堡里只剩下了小弟子一个人,如果你是他,你会怎么样?想做什么?——学生答。

对!小弟子偷出了扫把,用自己偷学来的咒语让扫把帮自己挑水,来听一听,他成功了没有?——聆听。

小扫把开始劳动了,水缸里的水发生了什么变化?用动作来表示。——聆听并做动作表示水满起来的状态。

水满起来了,小弟子可高兴了,继续让扫把打水。——聆听。

小扫把不停地打水。听一听,这时音乐里多了哪种声音?这种声音的加入说明了什么?——聆听(水已经溢出来了)。

水已经溢出来了,小扫把有没有停止打水呢?

此时,小弟子心情怎样?如果你是他,你会想什么办法让小扫把停下来?——学生答。听一听,小弟子是怎样处理的?——聆听(用斧子将扫把劈得粉碎)。

将扫把劈碎后,看看,可怜的扫把怎么样了?请根据你听到的音乐往下编故事。——聆听,编故事(被劈碎的扫把的碎片又变成了一个个的小扫把,一群扫把一起去打水,城堡里的水不停地往外面溢出来了)。

听一听,这时音乐在表现水满时加入了什么乐器?说明了什么?——聆听(加入了钹,说明城堡里已经洪水大作,巨浪翻滚了)。

此等场面,究竟该如何收场呢?——学生答(师父回来收拾残局)。请听一听,师父是何时回来的?你听到师父回来了吗?请举手表示。——聆听。

师父回来后，音乐戛然而止，一切恢复了平静，此时小弟子心情怎样？有什么反应？——聆听弟子的反应（惭愧）。

小弟子很后悔、很惭愧，那么你们觉得平息灾难后的师父会有什么反应？——聆听师父的反应（严厉地惩罚了弟子）。

故事讲完了，让我们再来回顾一下故事的起因、经过和结果。

在音乐中我们把故事的起因叫作什么？（序奏）经过叫什么？（主曲）结尾叫什么？（尾声）

最后，让我们来认识一下这首交响诗的作曲家——迪卡斯，他还有许多其他的作品，今后我们有机会可以再一起聆听欣赏。

迪卡斯的这首交响诗《魔法师的弟子》选自一部卡通影片《幻想曲》，接下来就请大家欣赏影片。

通过这节课大家学到了什么？

主题四：家长课程

让家长走进学校的课程，既是为了加强家校沟通，让家长更能理解老师的不易，从而更加理解学校的工作，又是为了丰富学生的课堂学习，让学生了解多种职业，还能让亲子关系更加融洽。本学期的家长课程丰富多彩，学生兴致高昂，效果非常好。本学期比较受学生欢迎的家长课程有爱护牙齿、魔术、会动的机器人、食物在身体中的旅行、世界爱耳日、科学实验、一封信的旅行、扎染等。

我们班的神秘魔术师

每周五的下午,是家长课程的时间。这周三的时候,学生就迫不及待地向我确认:老师,这周家长课程真的是一个魔术师给我们上课吗?在学生的期盼中,周五下午终于到了。早早地,学生就在教室里安安静静地等待魔术师的到来。就在魔术师推门的那一瞬间,教室里沸腾了。

魔术师拿出了一个盒子,学生们都屏住了呼吸,一眼不眨地盯着魔术师的手,看看魔术师能从袋子里掏出什么。随着魔术师的动作,学生们发出一阵阵惊呼:这里面能装这么多东西!当一只袜子从袋子里拿出来的时候,大家都哄堂大笑。这个环节结束的时候,学生们意犹未尽。"魔术师叔叔,可以再给我们表演一个吗?"学生们发出请求。就这样,不知不觉中一节课就过去了。学生们都在感慨:这节课过得好快呀!

在整节课里,魔术师能够抓住学生的眼球,吸引学生的注意力。因为对学生来说,魔术师很神秘,不知道下一刻能变出什么,这样就紧紧抓住了学生的心。学校的学科教学亦应该如此。我们的课堂也需要多一些"神秘",多一些"惊喜",让学生在学习中有意犹未尽之感。

让孩子动起来

在家长活动课——"走进通信世界"之后，我班同学的情绪久久不能平静。同学们跟着我走出教室，边走边说："老师，通信方式我也知道一种。""老师，我有个问题呀！"……学生们对通信方式怎么这么好奇呢？怎样才能满足同学们的要求呢？在下一星期的家长课程上，我确定主题为——通信方式。

上课了，我在黑板上写下了"通信方式"四个大字，班里一下子炸开了锅，一只只小手在空中摇摆着，有些兴奋得已经三三两两热火朝天地讨论起来了。这完全出乎我的意料。看这阵势，我若拿备好的资料已不太可能。怎么办？与其让他们"开小会"，不如我们一起"开大会"，看他们还能说些什么！

师：前后桌的同学共同探讨，做好记录，并说明原因。

生1：记录的方法可以自定吗？

生2：我觉得可用表格的形式。

生3：还可用叙述的方法。

经过一番激烈的讨论，学生们终于有了结果：手机、寄信、互联网三种方式。

师：这三种通信方式面太宽，我们先选择一种，其余的以后陆续进行调查。就在这时，课堂气氛立刻出现了变化。

生1：选择手机。

生2：选择互联网。

生3：对，选择互联网。

生4：我不同意，选择寄信。

师：谈谈你对这三种通信方式的了解。

生1：我每个星期都要写信给远方的手拉手小伙伴。

生2：我常在网上与朋友聊天。

生3：每天爸爸、妈妈都与别人用手机联系。

…………

师：听了同学们的发言，联系我们的日常生活，你们发现问题了吗？（同学们疑惑不解）

生：这三种通信方式在我们的生活中使用率有高低之分。

同学们顿时醒悟，一致同意找使用率最高的进行研究。

生1：互联网现在很流行，也最能吸引大家。

生2：我不这样认为，我认为还是手机使用率最高。

学生们最终得出结论：在我们生活中最常见、使用最广泛、最方便快捷的为手机。

既然是活动，就要让孩子们的全身器官都动起来，这样才能让他们感觉到自己是活动的主人。

附 录

金水区实验小学荣誉护照

荣誉护照的内容丰富多样，包括小学基本规范、少先队队歌、校歌、课程等内容，能够让学生更好地认识学校、开始小学生活，帮助新入学的同学更充分地适应小学生的身份，有助于他们对新的学校生活的了解，这种活泼的师生互动形式让同学们感到新奇有趣，更能吸引他们。

荣誉护照的封底与封面

荣誉护照的欢迎页和学校介绍页

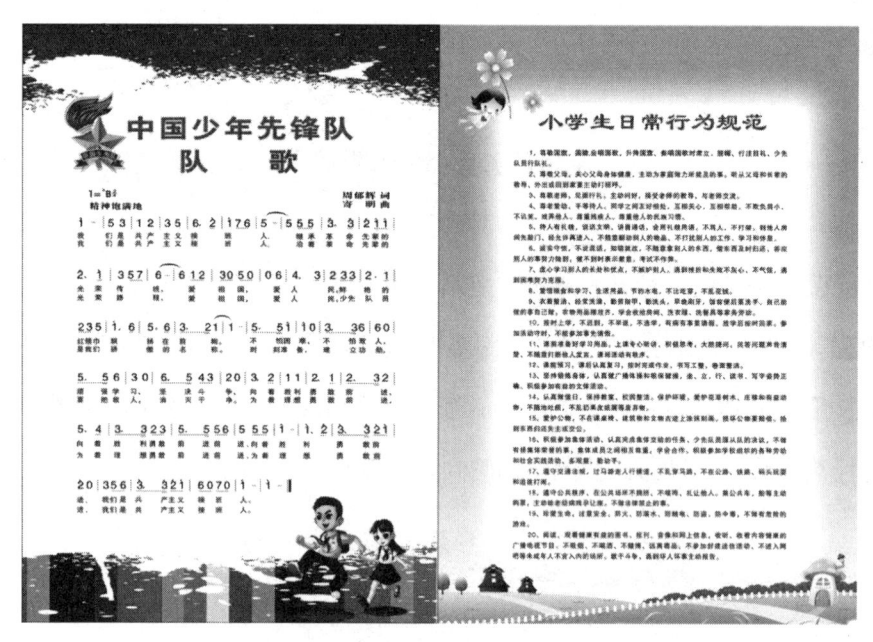

荣誉护照里的《中国少年先锋队队歌》和《小学生日常行为规范》

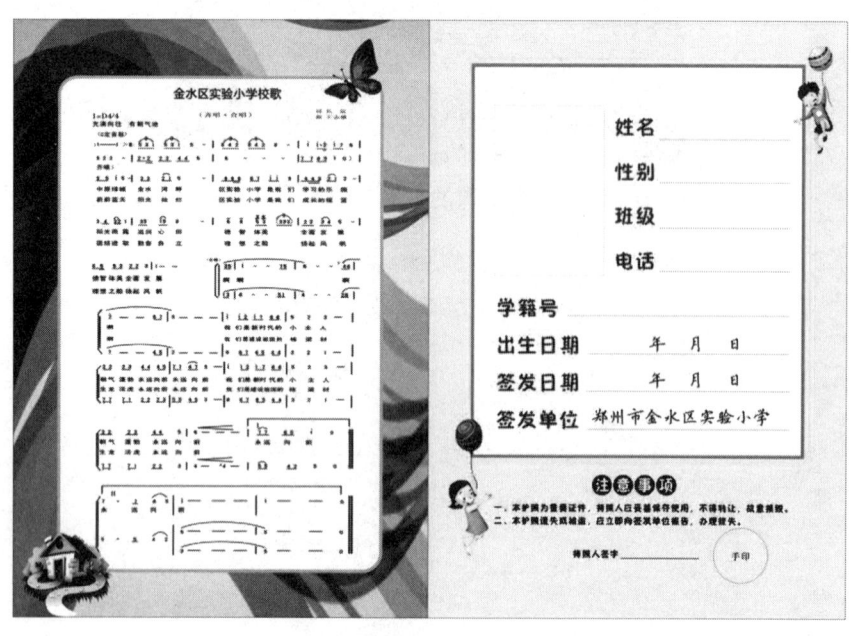

荣誉护照里的《金水区实验小学校歌》和学生信息页面

附　录

经过学科整合的开学课程

经过学科整合的传统课程

181

经过学科整合的季节课程

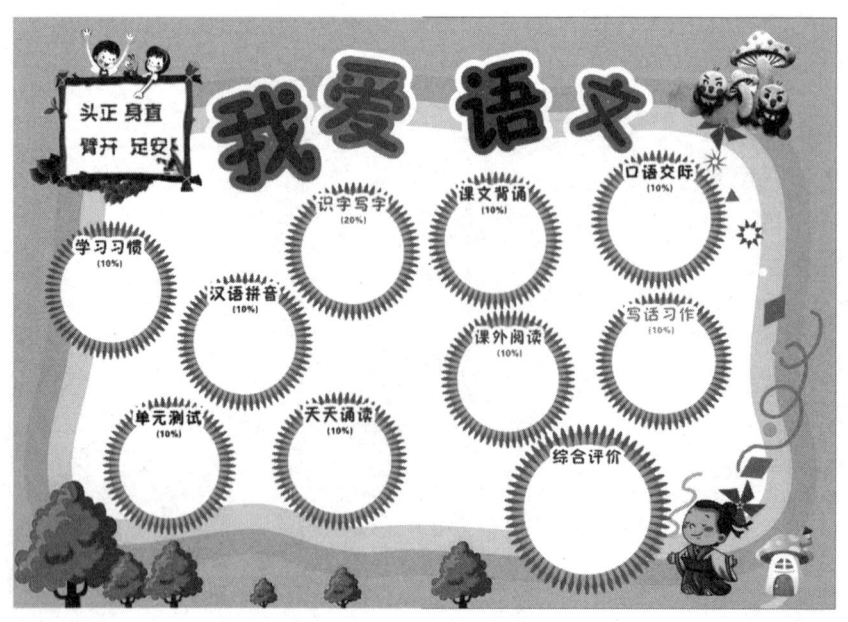

荣誉护照中的语文课程

荣誉护照中的数学课程

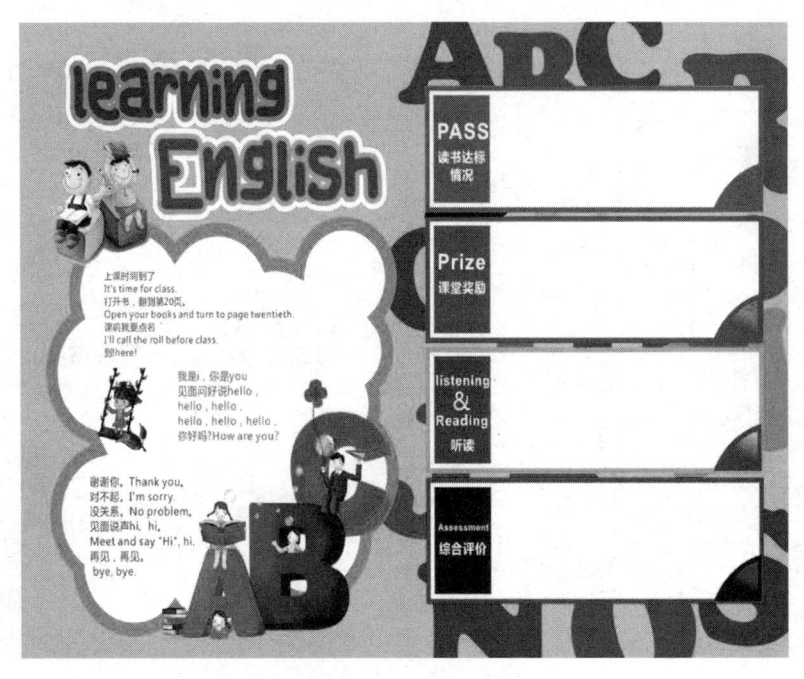

荣誉护照中的英语课程

附录

荣誉护照中的体育课程

荣誉护照中的音乐课程

附 录

荣誉护照中的美术课程

荣誉护照不单是老师与学生互动的体现,更是学生与家长、老师与家长、同学之间有效的交流方式

185

金水区实验小学阅读存折

我们推出了学生阅读存折，积极引导、鼓励学生阅读。格式模仿银行存折，设置了阅读契约、学生信息、我的阅读存款、阅读地图、推荐书目等活泼有趣的项目分类，学生们十分喜爱，也受到了家长们的欢迎。

阅读存折的封面与封底

阅读契约

学生信息页

我的阅读存款及使用说明

阅读地图

附 录

阅读地图

1. "阅读地图"可进行四个层级的盖章,依次为星星奖章(读完5本书)、月亮奖章(读完15本书)、太阳奖章(读完30本书)、宇宙奖章(读完50本书)。
2. 获得"太阳奖章"后,将被评为"班级阅读之星";获得"宇宙奖章"后,将被评为"阅读大王"。

阅读地图说明

低年级推荐书目

序号	书名	作者/编者/译者/绘者	出版社
1	蝴蝶·豌豆花	金波 编,蔡皋等 画	河北教育出版社
2	稻草人	叶圣陶/著	希望出版社
3	没头脑和不高兴	任溶溶/著	浙江少年儿童出版社
4	小猪唏哩呼噜	孙幼军/著,裘兆明/图	春风文艺出版社
5	我有友情要出租	方素珍/著,郝洛玟/绘	新疆青少年出版社
6	不一样的卡梅拉(我想去看海)	(法国)约里波瓦/著,(法国)艾利施/绘,郑迪蔚/译	二十一世纪出版社

7	百岁童谣	山蔓/编著	贵州人民出版社
8	寻找快活林	杨红樱/著	湖北少年儿童出版社
9	十兄弟	沙永玲/编著,郑明进/绘	五洲传播出版社
10	月光下的肚肚狼	冰波/著	湖南少年儿童出版社
11	格林童话选	(德)格林兄弟/著,魏以新/译	天津教育出版社
12	让路给小鸭子	(美)麦克洛斯基/著,柯倩华/译	河北教育出版社
13	青蛙和蟾蜍	(美)阿·洛贝尔/著,潘人木、党英台/译	明天出版社
14	木偶奇遇记	(意)卡洛·科洛迪/著,徐调孚/译	天津教育出版社

在阅读存折里,老师为同学们精心挑选了推荐书目

低年级推荐书目

序号	书名	作者/编者/译者/绘者	出版社
15	了不起的狐狸爸爸	（美国）罗尔德·达尔/著，代维/译	明天出版社
16	我和小姐克拉拉	（德国）迪米特尔·茵可夫/著，陈俊/译	二十一世纪出版社
17	第一次发现（濒临危机的动物）	法国伽利玛少儿出版社 编，（法国）雨果/绘，王文静/译	接力出版社
18	神奇校车（在人体中游览）	（美国）乔安娜·柯尔/著，（美国）布鲁斯·迪根/绘	贵州人民出版社
19	一粒种子的旅行	（德）安妮·默勒/著，王乾坤/译	南海出版公司
20	鼹鼠博士的地震探险	（日本）松冈达英/著，蒲蒲兰/译	二十一世纪出版社

序号	书名	作者/编者/译者/绘者	出版社
21	动物王国大探秘	（英国）莱莉亚·布鲁斯/文，兰·杰克逊/图，杨阳、王艳娟/译	广州出版社
22	千字文·三字经·弟子规	郝光明、罗容海、王军丽 译注	文化艺术出版社
23	中国神话故事	聂作平 编著	天津教育出版社
24	笠翁对韵	李渔/著	浙江古籍出版社
25	人	（美）彼得·史比尔/著，李威/译	贵州人民出版社

在阅读存折里，老师为同学们精心挑选了推荐书目

参考文献

[1] [美]拉尔夫·泰勒. 课程与教学原理[M]. 罗康, 译. 北京：中国轻工业出版社, 2016.

[2] [美]James A. Bane. 课程整合[M]. 单文经, 译. 上海：华东师范大学出版社, 2003.

[3] 邢至晖, 韩立芬. 特色课程8问[M]. 上海：华东师范大学出版社, 2013.

[4] [美]彼得·圣吉. 第五项修炼[M]. 张成林, 译. 北京：中信出版社, 2009.

[5] [美]约翰·富兰克林·博比特. 课程[M]. 刘幸, 译. 北京：教育科学出版社, 2017.

[6] [英]B. 霍尔姆斯, M. 麦克莱恩. 比较课程论[M]. 张文军, 译. 北京：教育科学出版社, 2001.

[7] [美]威廉·F. 派纳主编. 课程：走向新的身份[M]. 陈时见, 潘康明, 译. 北京：教育科学出版社, 2001.

[8] 林崇德主编. 21世纪学生发展核心素养研究[M]. 北京：北京师

范大学出版社，2016.

[9]杨九诠主编.学生发展核心素养三十人谈[M].上海：华东师范大学出版社，2017.

[10]余文森.核心素养导向的课堂教学[M].上海：上海教育出版社，2017.

[11]单留玉主编.金水区实验小学教育教学指南[M].郑州:海燕出版社，2017.

[12]陈桂生.聚焦学生角色——现今学生价值倾向问题[M].北京：教育科学出版社，2011.

[13]潘国伟.智慧课程：理性之思与探索之行[J].生活教育，2017(06)：30-33.

[14]周春柳，匡莉，范燕荣.基于学生核心素养的"智慧课程"构建[J].基础教育研究，2017（05）：65-67.

[15]潘国伟，谈爱清.智慧课程：学校课程重建的价值思考与实践探索[J].江苏教育研究，2017（01）：28-32.

[16]吕建国，谈爱清."智慧课程"：促进学生整全发展的教育行动——指向核心素养培育的课程重建[J].生活教育，2016（13）：35-38.

[17]吴红华，林宣龙.教育：智慧视角的诠释、反思及实践构想[J].江苏教育研究，2008（02）：39-42.

[18]费惠珍.用智慧统帅行动：让每一个教育行动增值[J].作文成功之路（中），2017（02）：2-3.

[19]肖淑芬.科学构建课程体系　促进学生全面发展——以厦门市前埔南区小学"博雅"课程建设为例[J].福建基础教育研究，2016（03）：

23-25.

[20] 杨金明. 小学适合教育课程体系的构建与实施——以滨州市沾化区第一实验小学为例[J]. 现代教育, 2017（02）: 18-19.

[21] 肖蓉蓉. 校本课程体系的开发与实践研究[J]. 基础教育论坛, 2017（06）: 53-55、58.

[22] 刘岩林, 王俊力. "枣花朵朵开"课程体系的构建与实施[J]. 现代教育, 2017（03）: 25-26.

[23] 陈耀华, 陈琳. 智慧型课程特征建构研究[J]. 开放教育研究, 2016（03）: 116-120.

[24] 陈琳, 陈耀华, 李康康, 等. 智慧教育核心的智慧型课程开发[J]. 现代远程教育研究, 2016（01）: 33-40.

智慧课程，绽放生命的精彩 (代后记)

我校成立于2001年，时值第八次基础教育课程改革启动，我校开始了艰难而幸福的探索之旅。此后，我校教师积极投入课程改革中，无论是课改年级还是非课改年级，都在探索着新课程的理念。

回顾走过的十几年课改历程，我们彷徨过、困惑过，但我们一如既往地前行着，因为有坚定的信念，有执着的追求，因为我们懂得，只有以学生为本，才能促进课程走向深入。在课改的路上，我们有时会走得很快，有时会走得很慢，但我们从未放弃，一直在前行。

从校本课程的探索，到综合实践活动校本化的实施，再到学科内课程的整合，再到2016年我校一年级开始智慧课程的探索。这一路走来，老师们建立了自己的课程话语体系，取得了课程与教学的突破性进展。我校的智慧课程，强调的是一种统一整合，将跨学科的内容进行整合实施，我们聚焦主题，分成版块，找到融合点，进行深度的课程研发和探索。我们确立了"读好书，写好字，做真人的智慧少年"的育人目标，破除书本知识的桎梏，建构具有生活意义的课程内容。难忘每次寒、暑假放假后教研组老师的一次次研讨，难忘午休、放学后，各科教师齐聚一起进行深度的交流……正是这一次次的教研，将课程不断推进，也促使我们的思考不断深入，我们对课程的理解也逐渐加深。一次，走进办公室，我看到了闫彦老师在阅读《课程的力量》，感动于一线教师在中午时间醉心阅读课程类专业书籍，在课程改革的路上不断从实践迈向理论的前沿。这样的感动，在我们的生活中还有很多很多，感谢老师们的辛苦付出，感谢老师们的用心实践。虽然在他们心中，做智慧课程真的很累很累，但他们却没有怨言，因为他们懂得，这样的付出更多是站在儿童的角度做教育。这就是我们一路推进儿童课程的足迹。

回顾建校时光，在课程改革之路上，我们迈着坚实的步伐，在不断探索的过程中，收获着幸福的喜悦。我们不断在课程改革的路上读懂儿童，尝试着用学生的视角重组和构建课程，让课程更适合儿童的发展。在智慧课程的实施过程中，原本封闭的思路打开了，学科之间的交流活跃了，学生的学习深入了，课程改革绽放出生命的精彩。

读懂学生课程，让课程立足于学生的发展；读懂学生课程，让教师在课程实施中心中有学生；读懂学生课程，让教育多了一些以人为本。这样的课程，打开了学生未知的世界，把学习和儿童自身的生活方式结合起来，让金水区实验小学的儿童一脸阳光，憧憬着走向远方。

我们将课程改革的坚实步伐整理成册，为学校献礼。在本书出版之际，我们特别感谢单留玉校长一如既往地支持课程改革，感谢我校闫彦、孙新玲、梁宁莹、鲍筱薇老师在编校中付出了大量的时间和精力，感谢二年级全体教师提供的大量鲜活案例，大家的智慧使本书的观点更加鲜明。感谢大象出版社让本书更精美。对于一线教师而言，课程研发、实施还不够缜密，还存在一些问题，但我想即使不完善，先做起来比什么都重要。如果有什么不合适的地方，敬请大家批评指正。